Alain Mabanckou est né au Congo-Brazzaville en 1966. Auteur de plusieurs romans, il a été lauréat du prix des Cinq Continents de la Francophonie, du prix Ouest-France/Étonnants voyageurs et du prix RFO du livre pour *Verre Cassé* (Seuil, 2005), du prix Renaudot pour *Mémoires de porc-épic* (Seuil, 2006). Il est également l'auteur de l'essai *Lettre à Jimmy*. L'ensemble de son œuvre a été couronné par l'Académie française (Grand Prix de littérature Henri-Gal 2012). Il enseigne la littérature francophone à l'université de Californie-Los Angeles (UCLA). En 2015, il a été nommé professeur à la chaire annuelle de création artistique au Collège de France.

Alain Mabanckou

LES CIGOGNES
SONT IMMORTELLES

ROMAN

Éditions du Seuil

TEXTE INTÉGRAL

ISBN 978-2-7578-7560-5
(ISBN 978-2-02-130451-0, 1re publication)

© Éditions du Seuil, 2018

à la mémoire de ma mère Pauline Kengué,
de mon père Roger Kimangou
et de mon oncle René Mabanckou

pour le Capitaine
pour l'Immortel

et pour toutes ces cigognes qui volent
au-dessus de nos têtes

Samedi 19 mars 1977

La parcelle

Maman Pauline dit souvent que lorsqu'on sort il faut penser à mettre des habits propres car les gens critiquent en premier ce que nous portons, le reste on peut bien le cacher, par exemple un caleçon gâté ou des chaussettes trouées.

Je viens donc de changer de chemise et de short.

Papa Roger est assis sous le manguier, au bout de la parcelle, très occupé à écouter notre radio nationale, La Voix de la Révolution Congolaise, qui, dèpuis hier après-midi, ne passe que de la musique soviétique.

Sans se retourner, il me donne des consignes :

– Michel, ne traîne pas sur ton chemin ! N'oublie pas les courses de ta mère, mon vin rouge, mon tabac, et ne perds pas ma monnaie !

S'il me rappelle de ne pas traîner c'est parce que j'ai l'habitude d'admirer les voitures des capitalistes noirs du côté de l'avenue de l'Indépendance en me disant que je ne les reverrai plus dans ma vie. Je reste debout à les regarder, à imaginer que plus tard j'en achèterai une, que je la cacherai le soir dans un garage surveillé par des bouledogues auxquels je ferai boire du Johnnie Walker Red Label mélangé avec de l'alcool de maïs pour les rendre dix fois plus méchants que les chiens des Blancs du centre-ville. Ces pensées ne me quittent

11

plus, j'oublie les courses de Maman Pauline, je ne me souviens plus que Papa Roger m'a aussi commandé du vin rouge et de la poudre de tabac qu'il enfonce dans les narines et qui lui fait couler des larmes.

Mon père s'inquiète également pour sa monnaie, du fait que j'ai un problème depuis l'école primaire : les poches de mes shorts sont quelquefois percées, j'y cache des bouts de fil de fer qui me servent à réparer mes savates en plastique au cas où elles tomberaient en panne en pleine rue. Donc, au lieu de mettre la monnaie dans ces poches, je la serre fort dans la main droite. Malheureusement, au moment où je salue les papas et les mamans du quartier que je croise sur ma route (c'est obligatoire de le faire pour qu'ils n'aillent pas rapporter n'importe quoi chez mes parents), eh bien, la monnaie tombe par terre. Je dois la ramasser sans tarder sinon les gaillards qui fument le chanvre dans les coins des rues vont s'en emparer pour acheter des cadeaux à ces filles très maigres, les *évadées*, qui vadrouillent avec eux. Si nous les appelons les *évadées* c'est de leur propre faute : elles ont fui le domicile de leurs parents, elles sont habillées comme si elles n'étaient pas habillées, on voit tout gratuitement, elles n'ont pas honte de ça, et en plus elles acceptent de faire avec n'importe quel garçon des choses que je ne vais pas étaler ici, autrement on va encore dire que moi Michel j'exagère toujours et que parfois je suis impoli sans le savoir...

Avant de sortir de notre parcelle, je la regarde en détail. Il y a des fils barbelés tout autour. L'entrée c'est juste quatre planches assemblées, avec des espaces pour que nous sachions d'avance qui veut entrer chez nous. Autrefois, pour embrouiller Maman Pauline et Papa Roger, je passais entre ces fils barbelés, d'abord une jambe, puis l'autre, je me retrouvais dehors sans être blessé, et j'allais avec mes camarades du côté de la rivière Tchinouka pour chasser les hirondelles et les tisserins gendarmes. Mais tout ça c'était quand je fréquentais l'école primaire, et vu que je suis maintenant au collège des Trois-Glorieuses, je peux sortir par la porte.

C'est Maman Pauline qui a acheté cette parcelle, et elle a chargé son petit frère, Tonton Mompéro, de nous bâtir une maison. C'était trop cher de construire en dur, la nôtre est donc en planches. Les Ponténégrins donnent un surnom à ce genre d'habitations, ce sont des « maisons en attendant ». Moi je ne suis pas d'accord avec ça car dans ce quartier il y a beaucoup de familles qui voulaient montrer qu'elles étaient riches, elles ont commencé en dur, puis n'ont jamais posé les fameuses fenêtres qui empêchent d'entendre les bruits du dehors car elles coûtent très cher. Est-ce que ce ne sont pas plutôt ces familles qui ont des « maisons en attendant » ? La nôtre, au moins elle est terminée pour de bon, il n'y a plus rien à ajouter, elle est en planches d'okoumé avec un toit de tôles et des fenêtres en contreplaqué. On a deux chambres : une pour moi, une pour Maman Pauline et Papa Roger. Dans celle de mes parents ça sent la naphtaline vingt-quatre heures sur vingt-quatre. Cette odeur chasse les cafards et autres insectes qui abîment les wax de ma mère. Le lit est bien rangé grâce à Papa Roger qui a copié la technique des femmes de chambre de l'hôtel Victory Palace où il travaille. D'ailleurs sa patronne, Madame Ginette, est contente de lui : c'est rare de rester vingt ans dans un travail d'hôtel sans dérober les belles nappes de table et surtout les draps fabriqués en Europe.

Dans les chambres de l'hôtel Victory Palace les draps sont tout blancs, Maman Pauline ne veut pas de ça chez

13

nous, elle pense que la couleur blanche c'est pour les cadavres à la morgue de l'hôpital Adolphe-Cissé, elle préfère donc mettre ses propres wax très colorés. Moi ce que j'aime dans leur lit ce sont les grands oreillers et les dessins que ma mère a tricotés dessus : deux oiseaux qui s'embrassent avec leur bec, le plus gros c'est Papa Roger, le plus mince c'est Maman Pauline elle-même. Avec ces oreillers le sommeil est forcément agréable, sans les lions et les panthères qui aiment dévorer les gens dans les rêves au lieu de dévorer les bêtes méchantes de la catégorie des serpents venimeux ou des scorpions.

Puisque nous n'avons que deux chambres, ça pose beaucoup de complications quand les villageois de notre famille débarquent à Pointe-Noire et ne savent pas où dormir. On ne va pas les chasser, on ne va pas leur dire qu'on ne les connaît pas, alors on les fait coucher au salon sur des nattes parce que s'ils dorment sur de vrais lits ils vont se vanter que c'est maintenant leur maison à eux, et ils y resteront jusqu'à leur mort. En plus de ça, si Maman Pauline et Papa Roger meurent avant eux, ils me jetteront dehors pour hériter de tout.

Dans le salon nous avons une table qui bouge beaucoup, et ma mère dit qu'elle est handicapée, qu'elle a un pied malade. J'ai pour mission d'équilibrer ce pied avec deux petits cailloux quand des personnes importantes viennent manger chez nous. Ces cailloux, je les cache dans l'armoire près de la fenêtre, le seul meuble dont Maman Pauline a hérité il y a deux ans, après la mort de Tonton Albert Moukila qui travaillait à la Société Nationale d'Électricité, la SNE. Des parents villageois venus pour les funérailles se sont rués sur tous les biens de son grand frère, ils ont demandé à mes cousins de dégager de la nouvelle maison que leur papa

14

avait construite pour eux au quartier Comapon et de se débrouiller ailleurs avec la famille de leur maman. Cet oncle était très gentil, il offrait le courant aux gens de notre ethnie qui n'habitaient pas très loin de sa parcelle, au quartier Rex. Nous sommes trop loin de ce quartier, le défunt Tonton Albert ne pouvait pas tirer un fil depuis là-bas jusqu'à chez nous à Voungou pour nous éclairer gratuitement. Bon, si on n'a pas de courant c'est surtout parce que Voungou est encore un nouveau quartier. Ici il y avait autrefois les cimetières des Vili, la tribu qui vit vers la Côte Sauvage et qui mange les requins alors qu'il y a d'autres poissons moins grands que ça dans la mer. Les chefs coutumiers des Vili ont rasé les jolis cimetières et ont vendu les parcelles sans consulter leurs morts. La vente de ces terrains était une bonne nouvelle pour ceux qui ne pouvaient pas en acheter dans les autres quartiers de Pointe-Noire où vivent les membres du Parti Congolais du Travail avec leur gros ventre et leur calvitie qui brille.

Notre cuisine est dehors, collée à la maison, comme un enfant que la mère porte dans le dos. Il n'y a pas d'accès direct pour y entrer, nous sommes obligés de contourner toute la maison. Les toilettes sont en face, bien éloignées de la cuisine, sans quoi les mauvaises odeurs vont entrer dans la nourriture qu'on est en train de préparer, et ça risque de nous couper l'appétit. D'ailleurs, elles ne méritent pas le nom de toilettes puisque c'est seulement quatre tôles que Tonton Mompéro a rassemblées pour éviter que les passants nous guettent depuis la rue. Quand j'ai envie de faire pipi ou quelque chose d'autre de très grave que je ne veux pas dévoiler ici sinon on va encore dire que moi Michel j'exagère toujours et que parfois je suis impoli sans le savoir, je dois prendre un seau rempli d'eau que je verse à la fin pour que la personne qui viendra après moi ne découvre jamais ce qui s'est passé avant. Mais attention, il faut que je sois vigilant car si je renverse mal l'eau, ça éclaboussera mes pieds, et les mouches me feront la guerre toute la journée.

Les Malonga et les Mindondo

Je passe devant la parcelle de la famille Malonga. Les trois femmes de Monsieur Malonga cuisinent toujours en plein air, au milieu de leur parcelle. Monsieur Malonga répond à ceux qui les critiquent qu'avant, à l'époque de leurs ancêtres lari, la nourriture se préparait à l'air libre sur trois pierres placées en forme de triangle, et tout se passait bien, les plats avaient un goût meilleur.

Les enfants Malonga, au nombre de onze, sont chargés de vérifier que le feu ne s'éteint pas, autrement leurs mères ne rempliront pas leurs assiettes au moment de manger. Kékélé, le grand frère, a douze ans, il passe son Certificat d'Études Primaires cette année, il n'a pas le même maître que j'avais lorsque j'étais à son niveau l'an passé, il est dans la classe de Monsieur Ngakala Bitekoutekou, un type pas très gentil qui chicotte les élèves parce qu'il voulait enseigner dans sa région au nord du pays, l'État n'a pas accepté sa demande et l'a envoyé chez nous dans le Sud pour montrer qu'il n'y a pas de tribalisme au Congo et que ce sont les impérialistes européens qui cherchent à nous diviser.

Les Malonga ne sont pas des capitalistes noirs, leur père discute parfois avec Papa Roger sous notre manguier. Les deux ne peuvent pas parler la même langue, nous on est des Babembe. Soit ils parlent la langue de

Pointe-Noire, le munukutuba, soit ils parlent en français, mais en langue française Monsieur Malonga n'arrivera jamais au talon de Papa Roger. Par exemple, un jour mon père a utilisé le mot *symposium*. Monsieur Malonga est resté bouche bée parce que ce mot était tout neuf dans ses oreilles :

– *Symposium*, c'est quoi ça encore ? Vraiment, toi Roger, tu as des mots que même les Blancs se demandent s'ils sont dans leur dictionnaire !

Monsieur Malonga travaille dans le dépôt du magasin Printania au centre-ville, à côté de l'hôtel Victory Palace. C'est grâce à ce travail qu'il a des choses qui viennent tout droit de France, qui sentent la France et qu'on vend très cher au Printania. Mais Monsieur Malonga a aussi un autre travail le week-end, et c'est cet autre travail qui l'a rendu célèbre dans notre quartier. Des familles lui ramènent leurs garçons, et il leur fabrique des fétiches pour devenir forts dans la bagarre. Le fétiche le plus terrible s'appelle le *kamon*. Avec une lame Gillette, Monsieur Malonga blesse un peu les deux poignets de l'enfant, il verse dans ces plaies une poudre (un mélange de beaucoup de choses écrasées comme la dent de vipère, les poils de gorille, les feuilles de lantana et le venin d'abeille). Après ça, Monsieur Malonga fait une démonstration avec une bouteille vide qu'il frappe violemment contre la tête de l'enfant. Celui-ci ne sent rien alors que la bouteille éclate en mille morceaux sur son crâne. Cela veut dire que lorsque ce garçon donnera un coup de tête à quelqu'un, ce malheureux verra mille étoiles et tombera demi-mort.

Monsieur Malonga a appris ces secrets dans son village de Mpangala où il se rend une fois par mois. C'est de là-bas qu'il ramène les dents de vipère et les poils de gorille. Quant aux feuilles de lantana ou au venin d'abeille, on peut les trouver dans les nouveaux quartiers de Pointe-Noire, ou bien derrière le cimetière Mont-Kamba où il y a encore un peu de brousse par-ci par-là, avec des animaux domestiques qui ont choisi de redevenir sauvages parce qu'ils ne veulent plus être les esclaves des humains.

Les filles n'ont pas droit au *kamon*, sinon les hommes ne les épouseront jamais, ils auront peur d'être tabassés, d'avoir honte dans le quartier. Moi je voulais que Monsieur Malonga me fasse le *kamon*, hélas Maman Pauline et Papa Roger ont refusé à cause du mauvais comportement d'un garçon nommé Claver Ngoutou-Nziété. Monsieur Malonga l'avait rendu très fort, tout le monde le fuyait, et il n'avait personne sur qui essayer son *kamon*. Il avait alors attaqué ses propres parents, un coup de tête à sa mère, un coup de tête à son père, les deux ont fini aux urgences de l'hôpital Adolphe-Cissé. Quand ma mère avait appris cette affaire honteuse à la radio, elle était allée dire à Monsieur Malonga que c'était inacceptable, que moi Michel jamais de la vie j'aurais droit au *kamon*, et que s'il me le faisait en cachette quand je rends visite à ses enfants, eh bien l'histoire finirait à la police de Voungou, surtout que le commissaire Nkaba Na Moussosso est quelqu'un de notre propre ethnie…

Juste après la maison des Malonga, c'est celle des Mindondo. Ils ont construit en dur. Leur parcelle est entourée de murs en ciment. Chez eux ils ont des balançoires, des bicyclettes, des jouets neufs et une grande cuvette bleue pour leurs cinq enfants qui se vantent à gauche et à droite d'avoir une piscine alors que j'ai déjà vu la piscine de l'hôtel Victory Palace, donc je sais combien une vraie piscine est plus grande que la cuvette des Mindondo. Dans une piscine on peut nager de long en large, on peut sauter depuis une planche et plouf ! tomber dans l'eau. Quand on a fini, on prend une serviette blanche, on s'essuie un peu avec, puis on l'enroule autour de la taille avant d'aller se reposer dans un fauteuil en plastique et lire des livres qui racontent des histoires faciles à comprendre. Or les Mindondo ne peuvent pas nager de long en large, ils ne peuvent pas sauter depuis une planche et plouf ! tomber dans l'eau. Eux, ils s'assoient autour de leur cuvette, jettent dedans des canards en plastique, et les voilà qui se mettent à imaginer que ce sont des canards en chair et en os.

La porte de la parcelle des Mindondo est belle, en bois d'ébène, avec un petit trou qui s'ouvre et se referme parce qu'ils veulent voir la tête des visiteurs avant d'ouvrir. Ils savent que certains ne sont que des gourmands qui vont leur expliquer qu'ils passaient par là par hasard et qu'ils voulaient juste saluer les enfants. Or ces profiteurs ignorent que chez les capitalistes noirs le nombre de bouches est calculé. Quand vous arrivez chez eux ils sont angoissés, ils se demandent combien de temps vous allez rester parce que, à table, les bouches risquent d'être trop nombreuses. C'est pour cette raison que Monsieur Mindondo laisse des revues dans le salon et propose aux visiteurs de les lire, de regarder les belles photos pendant que lui et sa famille sont à table.

Monsieur Mindondo est membre du Parti Congolais du Travail. Il a étudié pendant cinq ans en URSS. Quand il a voulu ramener une femme de là-bas, ses parents et ses grands-parents l'ont menacé :

– Si tu prends une femme blanche nous te maudirons, tu n'auras jamais d'enfants avec elle, ou alors vous allez faire des enfants qui auront un museau et des pattes de sanglier ! Nous allons te choisir nous-mêmes, dans notre ethnie des Kamba, une femme grosse et petite de taille, pas une de ces Blanches qui sont minces et grandes comme si elles ne mangeaient que des macaronis du matin au soir !

La femme qu'on lui a trouvée et qui est grosse et petite de taille, c'est Madame Léopoldine Mindondo. Elle ne dit jamais bonjour aux mamans du quartier et, pour ne pas les croiser, elle fait ses courses au Printania avec les Blancs et les autres capitalistes noirs.

Si je connais par cœur les noms des enfants Mindondo, c'est parce que des noms de ce gabarit il n'y a que cette famille qui les a à Pointe-Noire. Le grand frère s'appelle Thomas d'Aquin Mindondo, puis il y a trois autres garçons : Dionysos Mindondo, Olympe Mindondo, Poséidon Mindondo. La famille n'a qu'une seule fille, Artémis Mindondo, elle marche encore à quatre pattes.

Le grand frère Thomas d'Aquin Mindondo a quatorze ans, il ne fréquente pas notre collège des Trois-Glorieuses, il est à l'école française Charlemagne avec les petits Blancs que nous voyons dans le quartier quand Monsieur Mindondo fête les anniversaires de ses enfants.

Lorsque Monsieur Mindondo reçoit les gens qui portent une cravate et qui sont ses collègues du Parti Congolais du Travail, ces invités garent leur voiture partout, jusque devant notre parcelle. Monsieur Mindondo s'est déjà chamaillé avec Papa Roger qui lui avait dit de ne plus laisser ces individus cravatés se garer devant chez nous parce qu'on risquerait de penser que ça nous appartient, que nous sommes tout à coup devenus des capitalistes noirs. Le père Mindondo n'avait pas entendu la fin de la phrase de mon père sur les capitalistes noirs, il croyait en fait que Papa Roger critiquait sa voiture parce qu'elle n'était pas française ou japonaise, que c'était une Volvo 343, et donc qu'il ne l'avait pas achetée à la CFAO, rue Côte-Matève, où mon oncle Tonton René est un grand chef qui commande plein de gens. Monsieur Mindondo a traité Papa Roger de pauvre petit réceptionniste d'hôtel qui ne pourra jamais s'offrir une Volvo 343. Maman Pauline est entrée dans cette histoire, elle a crié sur Madame Léopoldine Mindondo qui l'avait traitée de femme inculte, de vendeuse de régimes de bananes. Elle avait ajouté que ma mère n'avait qu'un seul enfant, qu'en plus cet enfant n'était même pas une fille mais un garçon fainéant qui passait son temps à rêver, à noter des choses sur des bouts de papier, comme si des cafards se battaient à l'intérieur de son cerveau. Cet enfant, c'est moi Michel. En plus, toujours d'après Madame Léopoldine Mindondo, si je n'ai pas redoublé de classe depuis l'école primaire ça n'a rien à voir avec l'intelligence, c'est parce que Maman Pauline a mouillé la barbe des maîtres, des maîtresses, du directeur de l'école, qu'elle mouillera aussi la barbe des professeurs du collège des Trois-Glorieuses, et plus tard celle des professeurs du lycée Karl-Marx. Ce qui avait fait beaucoup de mal à ma mère c'est que Madame Léopoldine Mindondo avait prédit que si moi Michel je mourais demain, ma mère resterait seule, et qu'elle sera traitée de sorcière qui a donné son enfant unique aux esprits pour obtenir des pouvoirs surnaturels et réussir dans la vie. En fait, Madame Léopoldine Mindondo voulait dire que si le commerce de ma mère marchait bien depuis des années, c'était parce qu'elle possédait des grigris qui charmaient les clients et qu'elle n'hésiterait pas à me sacrifier aux esprits pour faire encore plus de bénéfices.

Maman Pauline n'avait pas aimé ces accusations. Le soir, elle m'avait dit, en présence de Papa Roger qui semblait d'accord :

– Michel, rends-moi un grand service : si tu vois cet imbécile de Thomas d'Aquin Mindondo dans la rue, donne-lui une bonne correction !

J'avais dit oui juste pour la calmer. Thomas d'Aquin Mindondo a déjà les muscles des sportifs noirs américains. Il fait du sport avec de vraies machines à l'école française Charlemagne. Il a été sélectionné pour le championnat d'athlétisme de la région du Kouilou et Papa Roger m'avait montré sa photo dans le journal *La Semaine*, avec un gros titre : « *Thomas d'Aquin Mindondo, l'espoir de l'athlétisme ponténégrin* ».

Ce jour où ma mère m'avait dit de lui rendre un grand service, j'avais eu envie de lui demander pourquoi elle avait interdit à Monsieur Malonga de me faire un *kamon*…

Au cas par cas

Voici la boutique *Au cas par cas* de Mâ Moubobi, située à deux pas de l'avenue de l'Indépendance. Elle n'est pas bien rangée, c'est tout petit, ça sent le poisson salé et la pâte d'arachide. Les prix ne sont pas fixés pour de bon, ça dépend de si vous connaissez ou pas Mâ Moubobi, voilà pourquoi la boutique s'appelle *Au cas par cas*.

Papa Roger et Maman Pauline connaissent Mâ Moubobi. Moi Michel je la connais aussi : elle me voit chaque semaine dans son magasin, et j'ai été à l'école primaire avec Olivier Moubobi qui est son seul enfant, comme moi je suis le seul enfant de Maman Pauline. On se moquait trop de lui parce qu'il était sans cesse en retard et que le maître lui demandait de se mettre à genoux dans un coin pendant au moins une heure. Quand il regagnait sa place il dormait, et, au moment où il ronflait, le maître le prenait par l'oreille, l'entraînait encore dans le coin, où il restait à genoux jusqu'à la fin de la classe. Pour qu'on arrête de se moquer de lui, Mâ Moubobi l'avait retiré définitivement de l'école. Avant ça, elle avait provoqué une pagaille dans l'établissement scolaire. Elle avait insulté tout le monde, y compris le directeur. Avec son fils, ils balançaient des pierres partout, et nous courions à gauche et à droite pour éviter d'en recevoir dans la figure, et finir aux urgences de l'hôpital Adolphe-Cissé.

Mâ Moubobi hurlait :

– Je vais vous maudire ! Je vais vous maudire ! Regardez-moi !

Elle avait soulevé son pagne pour montrer ce que je ne vais pas expliquer ici, sinon on va encore dire que moi Michel j'exagère toujours et que parfois je suis impoli sans le savoir. Nous avions fermé les yeux parce que voir la nudité d'une maman c'est très grave, on peut redoubler bêtement la classe à cause de la malédiction.

Mâ Moubobi avait disparu avec Olivier Moubobi qu'on n'a plus revu en classe.

Depuis quelque temps, Olivier tourne en rond dans la boutique de sa maman. Il ne veut plus me parler. D'après lui je fais partie des élèves qui ont causé son départ de l'école alors que s'il avait continué, eh bien il serait aujourd'hui, avec moi, parmi les dix meilleurs élèves de la région du Kouilou qui ont déjà reçu leur Certificat d'Études Primaires, qui sont au collège des Trois-Glorieuses, qui iront ensuite plus tard au lycée Karl-Marx après leur Brevet d'Études Moyennes Générales…

Maman Pauline m'interdit de rapporter que Mâ Moubobi est très grosse et ronfle devant sa caisse quand il n'y a pas de client dans sa boutique. On ne choisit pas d'être comme ça, quelquefois la grosseur vient d'une maladie de naissance ou des mauvais esprits jaloux de l'argent que gagne quelqu'un. Mâ Moubobi se débrouille bien même si elle n'a pas de mari, et c'est pour ça que les jaloux lui ont collé cette grosseur et ces ronflements au lieu d'aller les coller aux méchants.

Si nous faisons les petites courses dans la boutique *Au cas par cas* c'est juste pour le dépannage. On pourrait aller au Grand Marché, mais c'est trop loin, il faut attendre le bus qui traverse le pont de Voungou et dépasse le carrefour de Fond Tié-Tié. Ce bus doit continuer tout droit et virer plus loin à droite au niveau du rond-point de Mawata. Il ne faut pas que le chauffeur se trompe sinon il se retrouvera vers Fouks ou Makaya-Makaya alors qu'il devait suivre la direction des quartiers Trois-Cents, Rex et Duo, puis laisser derrière lui la mosquée des Ouest-Africains avant de tomber en plein dans le Grand Marché. C'est trop compliqué, surtout qu'avant d'arriver, ce bus doit esquiver les trous dans le goudron de l'avenue Moe-Prat, il doit faire attention aux individus qui vagabondent au croisement du boulevard Félix-Tchicaya et de l'avenue Alphonse-Demosso. Ces gens traversent les rues sans regarder à gauche et à droite, on dirait des moutons qui prêtent leur intelligence à celui qui est devant eux, et quand ce dernier se jette bêtement dans un fossé, tout le troupeau se jette bêtement dans le fossé avec lui.

En tout cas, pour se rendre au Grand Marché, ce n'est pas la peine de dire qu'on est pressé et d'entrer dans ces bus qu'on appelle fula-fulas. Ils s'arrêtent à chaque station même s'ils sont déjà remplis, le travail des contrôleurs consiste à s'égosiller, à forcer les personnes à monter sans les avertir qu'il n'y a plus de place et qu'on va se retrouver collés les uns aux autres. Il fait chaud dedans, les voyageurs transpirent comme s'ils avaient des robinets sous les aisselles. Si certains à Voungou préfèrent aller à pied malgré les deux heures de marche nécessaires, ce n'est pas parce qu'ils n'ont pas d'argent pour payer les tickets des fula-fulas, c'est pour éviter d'être mouillés par la transpiration de ces individus qu'ils ne connaissent pas et qui peut-être ne se lavent que par accident les jours où tombe la pluie…

Mâ Moubobi est assise derrière sa caisse, qui n'est pas une vraie caisse mais deux tonneaux côte à côte sur lesquels elle a posé une planche d'okoumé et aligné plein de paquets de bonbons Kojak. C'est sa technique pour attirer les enfants. Et si les parents ne veulent pas leur en offrir, les gamins se roulent par terre, pleurent, se plaignent qu'ils ont mal au ventre, que seuls les bonbons Kojak de Mâ Moubobi peuvent les soigner.

Il y a des poissons salés qui pendent du plafond grâce à des élastiques. Dès qu'un courant d'air entre dans la boutique, ces poissons balancent à gauche et à droite, à quelques centimètres seulement de la tête de Mâ Moubobi. Et quand quelqu'un veut en acheter elle lève le bras, elle attrape la queue d'un poisson et tire très fort. L'élastique fait un bruit, tchak ! et le poisson tombe sur la planche d'okoumé !

Mâ Moubobi le prend et le hume :

– C'est pas encore pourri… Tu me payes combien ?

Et elle commence à discutailler le prix avec son client pour dire à la fin :

– Bon, c'est pas grave, ton prix sera mon prix, mais sache que je ne vais rien gagner, je le fais juste pour tes enfants, pas pour toi…

Derrière Mâ Moubobi, contre le mur en dur, il y a une photo encadrée du camarade président Marien Ngouabi. Quand on lui promet de la payer à la fin du mois, Mâ Moubobi se retourne et montre du doigt la tête de notre président :

– Tu as intérêt à payer à la date que tu m'as donnée, le camarade président Marien Ngouabi est témoin…

Le client regarde avec respect et crainte la photo de notre chef de la Révolution socialiste congolaise. C'est la même qu'on avait dans notre classe à l'école primaire. Le camarade président Marien Ngouabi porte une casquette de militaire et regarde vers sa droite. Il n'a pas de barbe, il a de gros favoris qui nous permettaient de le dessiner facilement pendant la leçon d'instruction civique. Sa veste militaire est magnifique, avec le bouton d'en haut fermé et, au-dessus de sa poche droite, il a l'insigne des para-commandos prouvant qu'il est capable de sauter d'un hélicoptère ou d'un avion et de retomber par terre sans s'écraser la tête grâce à son parachute. Le camarade président Marien Ngouabi est triste sur cette photo. Il a peut-être compris que ce n'est pas facile d'être un chef de la Révolution dans un pays où les gens veulent tous payer plus tard.

Les clients sont convaincus que le camarade président Marien Ngouabi est dans cette boutique, qu'il les regarde, et c'est impossible pour eux de ne pas payer leur dette à temps quand un président a été témoin au moment où ils ont pris la marchandise sans sortir de l'argent…

Je suis derrière trois messieurs.

Le premier a payé ses deux boîtes de sardines et vient de s'en aller.

Le deuxième pose sur le comptoir un corossol, un ananas, un sachet de foufou et sort de l'argent pour régler.

Le troisième n'a rien pris, il nous fait perdre du temps, il patoise avec Mâ Moubobi et lui demande où est Olivier.

Mâ Moubobi est très contente que quelqu'un pense à son fils :

– Oh, Olivier ? Dieu merci, il travaille maintenant comme contrôleur dans un fula-fula. J'ai dit à son patron de ne pas brusquer mon enfant sinon il verra comment je vais me déshabiller devant son bus et devant ses clients !

Et ils rigolent. Moi je ne vois pas ce qui est marrant là-dedans. Ça me fait repenser au jour où Mâ Moubobi s'était dénudée dans notre école et que je ne voulais pas voir de mes propres yeux la forme de sa nudité, à cause de la malédiction qui serait tombée sur moi et m'aurait empêché d'avoir mon Certificat d'Études Primaires et de rentrer au collège des Trois-Glorieuses.

Je ne sais pas ce que ce monsieur très bavard raconte dans l'oreille de Mâ Moubobi, elle éclate chaque fois de rire et caresse ses cheveux. Est-ce qu'elle est en train de tomber amoureuse de lui ou bien ce type fait son baratin pour avoir gratuitement la marchandise ?

C'est au moment où le deuxième client finit de payer et s'en va que Mâ Moubobi m'aperçoit enfin derrière le monsieur qui la baratine.

– Qui je vois là ? L'enfant de Pauline Kengué ! Alors, tu vas encore perdre la monnaie de tes parents aujourd'hui, c'est ça, hein ?

Le monsieur bavard se retourne et ricane :

– Petit, mais regarde-toi ! Ah ! Ah ! Ah ! Regarde-toi bien ! Tu n'as pas honte ? À ton âge Olivier travaille déjà dans un fula-fula, il deviendra bientôt un contrôleur à plein temps, et toi tu te présentes dans la boutique de Mâ Moubobi habillé de cette façon ? C'est un manque de respect ou c'est maintenant ça la mode ?

Je me regarde des pieds à la poitrine : je porte ma chemise à l'envers ! Je fais un pas en arrière pour sortir, mais le bras du monsieur bavard est si long qu'il me rattrape par l'épaule :

– Va derrière la caisse de Mâ Moubobi et remets ta chemise bien comme il faut !

Mâ Moubobi ferme les yeux pour ne pas me voir retourner la chemise. Le monsieur aussi ferme ses yeux alors que nous sommes tous les deux masculins.

Je remets en place ma chemise, je repars faire la queue derrière le monsieur bavard.

– Passe devant moi, petit, je suis là pour un bon bout de temps, je n'ai pas fini d'expliquer à Mâ Moubobi comment je…

Il arrête de parler, me regarde de nouveau des pieds à la tête :

– Petit, est-ce que tu fais exprès ou quoi ? Tu n'as pas fermé le bouton du bas de ta chemise ! C'est pour nous montrer ce gros nombril ?

Je ferme le bouton, un peu en colère qu'il dise que j'ai un gros nombril. En même temps, ça m'apprendra, je critique trop la grosseur et les ronflements de Mâ Moubobi.

Me voici devant la caisse. Je ne retrouve plus l'argent que j'avais dans la main droite. Mâ Moubobi agite un billet de cinq mille francs CFA qui n'est pas froissé, on dirait que quelqu'un l'a lavé et bien repassé au fer à charbon pour qu'il reste propre et plat :

– C'est tombé par terre au moment où tu remettais correctement ta chemise…

Je respire maintenant. J'imaginais déjà ce que Papa Roger allait dire. Je prie aussi pour que Mâ Moubobi ne raconte pas à mon père ce qui s'est passé. Je ne peux pas compter sur elle, elle dit tout à tout le monde, sa bouche n'a pas de frein, c'est comme ça qu'on la décrit à Voungou pour expliquer pourquoi elle n'a plus eu de mari après le père d'Olivier qui l'avait quittée alors que l'enfant ne marchait pas encore.

Elle me donne un grand sachet. Je jette un coup d'œil à l'intérieur : j'aperçois les cubes Maggi, l'huile de palme et la pâte d'arachide. C'est la commande de Maman Pauline, mais il manque encore des choses. Avant que je ne lui pose la question, Mâ Moubobi me dit :

– Regarde très bien, j'ai rangé tout au fond le vin et le tabac de ton père. La monnaie est dans un petit sachet à l'intérieur…

Mauvaise humeur

Maman Pauline est déjà de retour, et j'ai l'impression qu'elle est très fâchée. Elle m'arrache le sachet de courses. Elle fouille dedans, me redonne la bouteille de vin, le tabac de Papa Roger, et garde le reste.

Je sais que ce n'est pas à cause de nous qu'elle est de mauvaise humeur. Ça s'est sans doute mal passé là où elle était partie, très tôt le matin, à l'heure où les camions de la Voirie de Pointe-Noire ramassent les poubelles devant les maisons des capitalistes noirs et font semblant de ne pas remarquer qu'il y a aussi des ordures devant les parcelles des gens comme les Malonga et nous autres.

Ma mère nous avait laissé des consignes très claires : il fallait commencer à faire bouillir la viande de porc dès dix heures pile, de sorte qu'à son retour elle n'aurait plus qu'à rajouter ce que je viens d'acheter chez Mâ Moubobi.

Chaque week-end elle va réclamer l'argent que plusieurs commerçantes lui doivent depuis des mois et des mois. C'est difficile pour elle de les forcer à payer car ces femmes sont des amies avec qui elle boit des Primus dans les bars du Grand Marché. En plus, beaucoup sont originaires du même village qu'elle, Louboulou. Elles ont passé leur enfance à jouer ensemble là-bas, à aller recueillir de l'eau dans le marigot, à parler en mal des garçons qui cherchaient à faire avec elles des choses que je ne peux pas expliquer ici sinon on va encore dire que moi Michel j'exagère toujours et que parfois je suis impoli sans le savoir. Donc ces commerçantes profitent de la gentillesse de Maman Pauline. Papa Roger la gronde tout le temps en lui expliquant que ce n'est pas ainsi qu'elle fera des bénéfices alors qu'elle a besoin de beaucoup d'argent pour acheter en gros les régimes de bananes chez les paysans de Les Bandas, payer les jeunes qui les porteront jusqu'à la gare de Loubomo, louer ensuite un wagon entier du Chemin de Fer Congo-Océan, le CFCO, laisser beaucoup de billets de dix mille francs CFA à ceux qui chargeront la marchandise dans le train, puis plus tard à ceux qui la déchargeront à la gare de Pointe-Noire, et enfin à ceux qui la transporteront jusqu'au Grand Marché. Parfois la malchance tombe sur elle parce que le train a déraillé et que le CFCO lui apprend qu'on ne peut pas lui rembourser ses régimes de bananes car c'est un cas de « force majeure », c'est-à-dire, comme me l'a expliqué Papa Roger, que personne ne pouvait prévoir le déraillement. Or tout le monde sait qu'il y a des déraillements en cascade vers les gares de Dolisie, de Dechavanne, de Mont Bélo, de Hamon et de Baratier. Là-bas les trains restent bloqués pendant dix ou quinze jours jusqu'à ce que des techniciens européens viennent depuis Brazzaville dans une draisine et réparent les rails. Ces techniciens blancs sont malins, ils cachent à nos cheminots leur technique pour qu'on les paye très cher alors qu'ils ne font que donner des ordres aux Congolais qui soulèvent des pierres lourdes en plein soleil, posent les rails et serrent les boulons sans même porter de gants. Quand il y a des déraillements, Maman Pauline distribue ses bananes aux voyageurs du CFCO, autrement ce sont les animaux sauvages qui les mangeront. Certains voyageurs veulent lui donner de l'argent, elle refuse et dit que ça ira, qu'elle aura plus de chance la prochaine fois. Et les contrôleurs, qui n'ont pas honte d'avoir honte, se servent comme si c'était le CFCO qui leur offrait ces bananes. Mais puisqu'ils voient de leurs propres yeux comment ma mère est gentille avec leurs clients qui se goinfrent impoliment sans lui dire merci, ils lui promettent qu'au voyage suivant elle aura droit à la première classe à côté des Blancs et des capitalistes noirs, à condition qu'elle ferme sa bouche devant les autres commerçantes parce qu'il n'y a pas beaucoup de places dans cette voiture qui est la seule climatisée de toute la micheline. Même si elle accepte ce cadeau climatisé, ça ne vaut pas le prix de la marchandise qu'elle a perdue à cause du déraillement. Et quand elle rentre à la maison sans rien, elle n'est pas de bonne humeur avec nous, elle est très fatiguée d'avoir effectué inutilement ce trajet, elle s'assoit près de Papa Roger dans le salon pour le regarder faire de longs calculs compliqués sur des bouts de papier jusqu'à ce que mon père, très préoccupé, balance le Bic plus loin sur la table en disant :

– C'est grave, Pauline... Tu sais, je peux t'aider à la fin du mois avec mon salaire de l'hôtel...

Ma mère est trop orgueilleuse, elle refuse le coup de main de Papa Roger qui s'inquiète beaucoup car quand on a des problèmes d'argent c'est difficile d'avoir l'appétit ou le sommeil. C'est cet orgueil qui l'a d'ailleurs poussée à acheter notre parcelle et à faire construire notre maison. Elle ne voulait pas ressembler aux autres femmes de Pointe-Noire qui attendent que leur mari paye tout, y compris les aiguilles pour coudre ou les fils pour tresser leurs cheveux. Dans son orgueil, Maman Pauline promet chaque fois à Papa Roger qu'elle se débrouillera seule pour que son commerce ne tombe pas à l'eau. Mais quand elle promet ça, nous comprenons avec Papa Roger qu'elle ira forcer les commerçantes du Grand Marché à lui rembourser ce qu'elles lui doivent. Et je parie qu'aujourd'hui aucune de ces commerçantes n'a réglé sa dette...

Je dépose devant Papa Roger la bouteille de vin, un verre et un tire-bouchon. Il n'écoute plus La Voix de la Révolution Congolaise, il s'est branché sur La Voix de l'Amérique, et il a l'air très triste :

– Michel, il y a eu des coups de feu hier à Brazzaville...

Je voudrais lui demander pourquoi on n'a pas annoncé ça depuis hier à La Voix de la Révolution Congolaise et pourquoi c'est La Voix de l'Amérique qui nous l'apprend un jour après.

Je me tais. Si Papa Roger avait les réponses à ces questions, il me détaillerait tout. C'est ce qu'il fait chaque fois qu'il y a une information grave dans notre pays ou dans le monde entier. Et puis, de toute façon, nous ne pouvions rien entendre puisque Brazzaville c'est à plus de cinq cents kilomètres de Pointe-Noire où nous sommes, même lorsqu'on voyage par la micheline ça dure trois jours complets. Bref, pour moi, cette histoire de coups de feu que notre propre radio n'a pas encore annoncée est une provocation des impérialistes noirs et blancs qui cherchent à déranger notre pays et notre Révolution socialiste congolaise. J'ai envie de dire à Papa Roger qu'il a tort de prendre cette information au sérieux alors qu'il a déjà entendu des nouvelles plus graves que ça et qui ne l'ont pas secoué puisqu'il continuait à manger sa viande de pangolin, à boire son vin rouge et à enfoncer dans ses narines son tabac qui lui cause des éternuements.

Moi Michel je ne m'inquiète pas, je sais que c'est à Brazzaville qu'on trouve nos militaires les plus forts. Leur travail c'est de s'entraîner matin, midi et soir pour intimider le Zaïre, c'est-à-dire l'ancien Congo belge, qui rêve de nous faire la guerre, de mettre notre pays dans la pagaille et de voler ensuite notre pétrole la nuit quand nous dormons. En plus de ça, lorsqu'on est un pays minuscule comme le Congo, si on fait beaucoup de bruit avec des coups de feu de ce type, les grands pays comme ce Zaïre pissent dans leur pantalon, ils croient que nous aussi nous sommes nombreux, que nous sommes cachés dans le fleuve Congo et que nous sortirons au moment où ça va chauffer pour les attaquer, on dirait les films de guerre qui passent dans nos cinémas de Pointe-Noire et de Brazzaville.

Les militaires zaïrois, eux, ne s'entraînent pas et s'imaginent qu'ils sont les plus caïds de l'Afrique. Ils ne font que regarder le film *Le Jour le plus long* dans leurs casernes en croyant qu'ils seront capables de se battre dans l'eau à la manière des Américains. Moi j'ai déjà vu *Le Jour le plus long* six ou sept fois au cinéma Rex, c'est le seul film qui reste au programme du lundi jusqu'au dimanche. D'ailleurs, dès que les imbéciles des quartiers Rex ou Trois-Cents arrachent la belle affiche de ce film pour la coller chez eux, le propriétaire du cinéma en remet une autre et écrit en bas, au feutre rouge : *Interdiction de voler l'affiche de mon Jour le plus long sous peine d'amende.* C'est la même chose quand sur les murs des quartiers des riches on écrit *Interdiction de jeter les ordures sous peine d'amende*, ça n'empêche pas les gens de balancer leurs feuilles de manioc ou leur nourriture pourrie partout dans la rue, vers minuit quand personne ne les surprendra.

Donc, ces Zaïrois qui veulent nous attaquer se trompent : le fleuve Congo c'est différent, les Américains ne peuvent pas venir pour les aider avec leurs grosses armes parce qu'il n'y a pas de plage ici, et ça serait encore plus difficile pour ces mêmes Américains à cause des bêtes méchantes qui habitent dans l'eau, sans compter le Mokélé-Mbembé, ce dinosaure qui épouvante les Pygmées dans le nord du pays même si personne n'a encore vu sa figure...

J'écoute attentivement avec Papa Roger ce que raconte La Voix de l'Amérique. Le nom et le prénom du président des Américains, Jimmy Carter, c'est comme des surnoms que n'importe qui peut prendre, ça résonne bien dans les oreilles. Jimmy Carter ne parle pas de la guerre qui risque d'éclater entre les Zaïrois et nous, il a quelque chose de plus grave à discuter : il est plutôt très en colère contre ces autres bagarreurs que sont les Israéliens et les Palestiniens. Au lieu de s'entendre, ces gens-là se chamaillent vingt-quatre heures sur vingt-quatre comme s'ils n'avaient pas un autre travail plus important que ça. Jessica Cooper, la journaliste américaine, elle aussi, est de mauvaise humeur, plus que le président Jimmy Carter. Elle explique que ça ne peut plus continuer, il faut qu'on donne vite une parcelle à la Palestine sinon comment les pauvres Palestiniens feront pour être fiers et crier à gauche et à droite qu'ils existent alors qu'ils n'ont pas un pays comme tous les peuples du monde ?

La radio ne parle plus des coups de feu à Brazzaville, ce n'était qu'un flash, et Jessica Cooper dit que l'information sera détaillée dès que leurs journalistes qu'ils ont envoyés à Brazzaville depuis Kinshasa en sauront un peu plus.

La radio ne parle plus des bagarres entre les Israéliens et les Palestiniens, mais de l'équipe de Saint-Étienne dont Papa Roger est supporter et qui est championne de France de foot. Elle a été battue par l'équipe de Liverpool qui, elle, est championne de l'Angleterre, et mon père n'est pas content de cette information :

— De toute façon, on s'en fout des Anglais, les Suisses finiront par gagner, ils ont largement de quoi acheter même les arbitres les plus intègres.

Il boit deux gorgées de son vin rouge, tourne le bouton de la radio pour revenir à La Voix de la Révolution Congolaise :

— Bon sang, quand est-ce que ces fainéants de journalistes congolais vont nous dire enfin ce qui se passe, hein ? Ils n'en ont pas marre de cette musique soviétique qu'ils nous imposent et qui nous saoule depuis hier ?...

L'arbre à palabres

Ça fait trois fois que Maman Pauline nous demande d'éteindre la radio parce que c'est l'heure de se mettre à table. Elle dit que ce n'est pas bien de manger en écoutant de la musique soviétique sinon on ne va pas apprécier le goût de la nourriture. En plus, lorsqu'on est à table il vaut mieux ne pas savoir ce qui se passe dans le monde, comme ça si on annonce un malheur ce sera trop tard, on aura déjà bien mangé et bien roté.

Malgré les appels de Maman Pauline, mon père et moi nous bougeons pas, nous restons assis sous ce vieux manguier qui est un de nos trois arbres fruitiers, avec le papayer et l'oranger près de la cuisine. Maman Pauline avait planté cet arbre dès qu'elle avait acheté le terrain, et elle aime raconter qu'elle avait ramené le noyau directement de son village natal car les plus beaux manguiers de notre pays se trouvent là-bas et non à Pointe-Noire où les mangues sont belles dehors et mauvaises dedans. D'ailleurs les mangues d'ici ne sont pas bien sucrées comme celles de Louboulou, même les mouches sont au courant de ça car elles ne sont jamais attirées.

Cet arbre est un peu mon autre école, et mon père s'amuse parfois à l'appeler « l'arbre à palabres ». Il écoute toujours la radio ici lorsqu'il revient de l'hôtel

41

Victory Palace. Comme son travail est très fatigant, les week-ends il se repose là du matin jusqu'au coucher du soleil, assis dans sa chaise en lianes avec sa radio à zéro mètre. Il pourrait se mettre dans son lit où il serait peinard, malheureusement l'antenne capte très mal dès qu'on est dans la maison, on entend presque à l'intérieur de la Grundig le bruit des graines de maïs qui éclatent comme si on les jetait dans de l'huile bouillante. En plus c'est souvent au moment où les informations sont importantes que les voix se mélangent, et à la fin le transistor raconte des histoires qui ne sont pas vraies. Une radio ne doit pas mentir, surtout si elle a coûté très cher et que les piles sont encore neuves puisque mon père m'envoie les acheter chez Nanga Dèf, le commerçant ouest-africain qui a sa boutique à deux minutes à pied de celle de Mâ Moubobi.

Je ne rigole pas avec cette affaire d'école sous le manguier. C'est bien ici que mon père m'avait dévoilé par exemple plein de secrets sur la guerre du Biafra parce que La Voix de la Révolution Congolaise n'arrêtait pas d'en parler. Notre radio nous avait informés qu'Olusegun Obasanjo, le président du Nigeria où s'était passée cette guerre, avait été félicité cette année par le pape Paul VI pour avoir organisé une grande réunion des Noirs du monde entier. Nos journalistes, qui voulaient être bien vus par le gouvernement et le camarade président Marien Ngouabi, ont commencé à dire que c'était un scandale, pourquoi ne pas féliciter notre chef de la Révolution qui travaille vingt-quatre heures sur vingt-quatre à développer notre pays ? Ils ont critiqué le président Olusegun Obasanjo en disant qu'il ne portait jamais le costume et la cravate, qu'il souriait mal, qu'il faisait honte à notre continent, que d'ailleurs leur guerre du Biafra n'était qu'une guerre de prostituées pour contrôler les trottoirs de la ville de Lagos.

– Michel, avait dit mon père, ne les écoute pas ! Il y a eu plus de deux millions de morts en deux ans et demi de cette guerre !

Papa Roger avait ajouté que les Nigérians se tuaient entre eux dans une vraie guerre civile parce que certains avaient décidé qu'ils allaient créer leur propre pays à part, la République du Biafra, à côté du pays normal qui était pourtant déjà bien dessiné par les Blancs dans les livres de géographie. Toujours d'après Papa Roger, le gouvernement du Nigeria n'était pas d'accord qu'on partage le territoire, sans quoi les gens allaient se réveiller le lendemain avec deux pays ennemis et en guerre matin, midi et soir. Le gouvernement avait fermé les frontières. Mais si on ferme les frontières avec un gros cadenas, si on ne veut plus que les gens sortent ou entrent, par où la nourriture va arriver ? Voilà pourquoi le Nigeria était devenu un pays de famine dans lequel il n'y avait plus un seul régime de bananes à manger pour au moins calmer la faim. Papa Roger m'avait dit tout bas – parce que c'était un secret très grave qu'il avait entendu de la bouche des Blancs au Victory Palace – que les Français étaient entrés dans cette guerre alors qu'ils n'ont même pas colonisé le Nigeria comme ils nous ont colonisés. Leur président de cette époque-là, le général de Gaulle, avait envoyé un monsieur qu'on surnommait « le sorcier blanc ». Ce monsieur, je ne me souviens plus de son nom, c'est quelqu'un qui ne parle pas beaucoup et qui connaît tellement les secrets de notre continent qu'on se demande qui sont les traîtres qui lui donnent les informations et combien il les paye pour savoir ça. La plupart des présidents noirs doivent discuter avec « le sorcier blanc » pour que la France

43

soit contente. C'est ce monsieur qui décide qui sera le président de la République de tel ou tel pays que la France a colonisé. Et si un de ces présidents que la France a mis au pouvoir critique trop fort les Français à l'ONU, là où on sépare les bagarres entre les pays en colère, « le sorcier blanc » se fâche, et le lendemain le vantard africain ne sera plus président de la République, il se retrouvera en prison si on ne l'a pas tué pendant un coup d'État préparé en catimini depuis la France avec d'autres Africains qui ne comprennent pas qu'ils donnent la chicotte pour qu'on les fouette dans le dos et qu'on continue à piquer leurs richesses à minuit quand les gens sont déjà au lit pour rêver des choses plus importantes que ce pétrole qui nous cause chaque fois des problèmes en pagaille.

– C'est pour te dire, Michel, que la France avait versé beaucoup d'argent dans cette guerre civile. Les deux camps en conflit, le gouvernement officiel et les partisans de la division du pays, avaient demandé son aide. Eh bien, la France a choisi d'épauler ces derniers et leur République du Biafra. Tu trouves ça normal, toi ?

Puisqu'il m'apprenait que les Français étaient d'accord pour qu'on divise le Nigeria en deux, j'avais dit à Papa Roger que ce n'était pas bien qu'un pays entre dans la bagarre d'un autre pays alors que moi Michel, quand des individus se battent entre eux et que je ne sais pas pourquoi ils se tapent dessus, je poursuis mon chemin sans regarder en arrière, je ne me battrai que si on me provoque ou si je suis incapable de m'enfuir parce qu'il n'y a plus un raccourci à prendre et que mes poursuivants m'ont rattrapé.

Papa Roger avait souri et m'avait répondu que comme la France voulait voir naître cette République du Biafra à côté, elle avait donné du travail à des mercenaires, des bandits qu'on paye pour aller faire la zizanie dans un pays qui ne les connaît même pas. Un de ces mercenaires – lui, j'ai bien retenu son nom – c'était Bob Denard. Un vrai spécialiste de la pagaille car, avant d'arriver dans le désordre du Nigeria, il avait déjà embêté les peuples qui se battaient en Algérie là-bas pour récupérer leur pays aux Français. Ce Bob Denard, en principe son prénom en français c'est Robert, mais « Bob » ça fait plus peur quand on est mercenaire. De toute façon Papa Roger n'était pas d'accord que ce type porte ce prénom de Robert parce que, selon lui, le petit frère d'un président américain s'appelait aussi Robert, or ce Robert américain n'avait pas embêté les peuples qui se battaient vaillamment en Algérie pour récupérer leur pays aux Français. Quand Papa Roger m'avait montré la photo du Robert américain dans le journal, j'avais été impressionné : il était jeune et beau. Mais malgré sa jeunesse et sa beauté, les Américains l'ont assassiné alors qu'il pouvait lui aussi devenir le président des États-Unis d'Amérique comme son grand frère qui avait été abattu dans une voiture à côté de sa femme, on dirait un film.

– Michel, tu rêves encore !...

Papa Roger me donne un coup de coude et ça me coupe dans mes pensées des moments agréables qu'on passe avec lui sous ce manguier. Il me fait signe de la tête, je me retourne : Maman Pauline arrive vers nous, comme un taureau furieux.

– Est-ce que je dois vous dire vingt fois de venir manger au lieu d'écouter cette mauvaise musique ? Eh bien, vous allez manger cette radio aujourd'hui ! Bon appétit !

Moi je ne veux pas manger la Grundig et la musique soviétique qui est à l'intérieur. Je veux manger ce qu'elle a préparé, surtout qu'elle avait annoncé depuis hier qu'elle allait cuisiner pour moi parce qu'elle était fière de mes bonnes notes du deuxième trimestre au collège.

Papa Roger essaye de la calmer :

— Pauline, on arrive, donne-nous juste quelques secondes encore…

Elle part en vitesse dans la maison. Nous entendons d'abord le bruit de la vieille armoire qu'elle ouvre, puis celui des assiettes qui se fracassent par terre.

— Qu'est-ce que ta mère fabrique ? me demande Papa Roger.

— Je crois qu'elle punit les assiettes au lieu de nous punir…

Mboua Mabé

Maman Pauline revient vers nous. Elle a une grosse marmite entre les mains, la figure encore plus fermée, comme si nous étions ses ennemis dans la guerre du Biafra.

Elle balance par terre tout le plat de porc aux bananes plantain, puis elle court vers l'entrée de la parcelle en hurlant :

– Mboua Mabé ! Mboua Mabé ! Mboua Mabé !

Mboua Mabé, c'est notre chien. Il est tellement maigre qu'on peut facilement compter ses côtes et se demander s'il a encore un peu de chair quelque part. On l'a acheté il y a trois ans, il faisait partie de ces chiens abandonnés que les gens attrapent dans les quartiers pour aller les vendre au Grand Marché. Mboua Mabé me regardait sans arrêt avec ses gros yeux noirs comme s'il voulait m'expliquer qu'il était malheureux, et j'avais dit à Papa Roger :

– On l'achète, ce chien, il est trop malheureux…

Papa Roger n'était pas d'accord :

– Non, c'est un chien à problèmes ! Il ne va faire que manger et il ne protégera jamais notre parcelle ! Regarde-le bien, c'est un hypocrite, un ennemi de la Révolution socialiste congolaise !

– Il défendra bien notre parcelle, il ne mangera pas beaucoup et...

– Ah bon ? Et comment tu le sais ?

– Je peux sentir ça quand il me regarde...

Il a éclaté de rire, et c'est peut-être grâce à ce rire qu'il avait décidé de m'écouter.

– J'espère que tu ne le regretteras pas !

J'avais tout de suite dit à mon père que je l'appellerais « Mboua Mabé », ce qui veut dire en lingala « chien méchant »

– Franchement ! Est-ce qu'un chien a besoin qu'on dise qu'il est méchant ?

Je pensais que Mboua Mabé allait un peu grossir, mais en fait il est resté tel quel, les chiens des Tékés ne grossissent jamais.

Mboua Mabé est très poli, il ne se laisse pas attirer par les chiennes qui lui font des yeux doux, se couchent par terre, les pattes écartées, pour l'inviter à faire des choses que je ne peux pas trop dévoiler ici sinon on va encore dire que moi Michel j'exagère toujours et que parfois je suis impoli sans le savoir. Quand je surprends dans le quartier un chien à faire cette chose-là avec une chienne, j'ai pitié pour ces deux animaux qui restent collés longtemps pendant qu'on leur balance des pierres pour les séparer de force alors que c'est la nature qui a voulu que ça se passe de cette façon. Mboua Mabé, qui est très intelligent, a compris que faire cette chose-là avec une chienne c'est risquer d'être soudé à elle pendant que les passants vont les maltraiter avec des cailloux ou des bâtons. Alors, dès qu'il voit une femelle qui lui fait des clins d'œil, même si elle est très belle, Mboua Mabé remue sa tête trois fois pour dire non, et il lui tourne carrément le dos...

Donc, aujourd'hui, Mboua Mabé est le plus heureux des chiens de Pointe-Noire, il a à lui tout seul le plat de porc aux bananes plantain, et moi je n'ai rien alors que c'est moi qui l'avais sauvé au Grand Marché. Le voilà qui avance doucement. Tout ça est louche pour lui qui n'a souvent mangé que des os parce qu'il n'est pas un être humain pour mériter la chair.

Il guette de loin la nourriture éparpillée par terre, il regarde ensuite vers mon père et moi. Nous lui faisons signe de ne pas y aller, Papa Roger agite son index pour lui dire non, et moi j'agite un coup de poing pour aussi lui dire non. Mboua Mabé ne sait plus à qui obéir, il ne sait pas s'il faut avoir peur de l'index et du coup de poing. Il se tourne alors vers Maman Pauline qui lui sourit et lui fait un signe gentil de la tête :

– Mange-moi ça, Mboua Mabé ! Mange ça !

Mboua Mabé baisse ses oreilles, remue la queue et fonce vers ce repas que Papa Roger et moi nous mangeons avec nos yeux en imaginant le plaisir qu'on aurait eu.

Il dévore d'abord les bananes plantain tout autour et se réserve les gros morceaux de viande pour la fin. Il est très excité, sa queue remue vite et ressemble à un essuie-glace. Heureusement que Maman Pauline n'a pas mis de piment dedans, sinon je ne sais pas comment il se serait comporté.

Au moment où il commence à s'attaquer aux gros morceaux de viande, un vent violent secoue soudain notre manguier. Les oiseaux cachés dans le feuillage s'enfuient en poussant des cris comme si un chasseur avait tiré sur eux.

Je lève la tête : il y a un gros nuage sorti de je ne sais où qui cache maintenant tout le soleil.

La musique soviétique vient de s'arrêter ! Oui, elle vient enfin de s'arrêter ! Papa Roger redresse vite l'antenne de la Grundig, et tous les deux nous nous rapprochons de l'appareil qui ne dit plus rien alors que les piles sont encore neuves.

Nos têtes ont failli se cogner car nous nous sommes vraiment penchés vers la radio au même moment.

Je me dis qu'il n'y a peut-être plus d'autres musiques soviétiques à jouer à La Voix de la Révolution Congolaise, que la radio a fini le stock de chansons qu'elle avait.

La Grundig crache une fois, deux fois, trois fois. Non, c'est plutôt quelqu'un qui tousse, et qui commence à lire :

Peuple congolais,

Il y a quelques jours, le chef de la Révolution, le camarade Marien Ngouabi, annonçait au cours d'un meeting marquant la célébration de l'an 12 de l'Union Révolutionnaire des Femmes du Congo, place de l'Hôtel-de-Ville de Brazzaville, la tenue très prochaine des assises du 3e Congrès extraordinaire de notre jeune et dynamique parti, le Parti Congolais du Travail. Chaque Congolaise, chaque Congolais sait que le 3e Congrès extraordinaire du Parti devait doter notre pays d'institutions révolutionnaires stables afin de donner un élan nouveau à la lutte de libération que mène notre peuple.

Mais l'impérialisme aux abois dans un dernier sursaut vient par l'entremise d'un commando-suicide d'attenter lâchement à la vie du dynamique chef de la Révolution congolaise, le camarade Marien Ngouabi, qui a trouvé la mort au combat, l'arme à la main, le vendredi 18 mars 1977, à 14 h 30.

Aussi, compte tenu de la situation qui prévaut, le Comité Central du Parti Congolais du Travail a-t-il décidé, au cours de sa réunion de ce jour, de déléguer les pleins pouvoirs à un Comité Militaire du Parti composé de onze membres qui aura pour tâches de préparer les obsèques nationales, de gérer les affaires d'État et d'assurer la défense, la sécurité du peuple et de la Révolution et ce, jusqu'à nouvel ordre.

Le Comité Militaire du Parti invite le peuple à redoubler de vigilance et à sauvegarder par tous les moyens la Révolution et l'Union nationale pour lesquelles le président Marien Ngouabi a donné sa vie. Un deuil national est décrété pour une durée d'un mois à compter de ce jour.

Vaincre ou mourir !

Tout pour le peuple !

Rien que pour le peuple !

Mboua Mabé s'arrête de manger, fixe la radio, dresse les oreilles, se retourne et s'enfuit hors de la parcelle en aboyant pendant que Maman Pauline lui crie :

— Reviens ici, Mboua Mabé ! Reviens, sinon je te jure qu'on te revendra au Grand Marché !

Il est déjà loin, et nous n'entendons plus ses aboiements...

Du piment dans les yeux ?

Il y a des attroupements partout, jusque devant chez nous.

Les gens, sortis de leur parcelle, se mélangent aux passants, aux chauffeurs de taxis jaunes qui freinent brusquement, aux pousse-pousseurs zaïrois qui abandonnent les marchandises sur le bord de la route, s'arrêtent, discutent à haute voix comme s'ils étaient capables de ressusciter le camarade président Marien Ngouabi. Moi je me dis que les individus debout à côté de notre parcelle cherchent des problèmes, Papa Roger risque de se fâcher contre eux parce qu'ils l'empêchent d'écouter la radio qui n'a pas encore expliqué comment notre président a trouvé la mort l'arme à la main, hier vendredi 18 mars 1977, à 14 h 30, comme a dit le communiqué de tout à l'heure.

D'autres personnes vont chez nos voisins pour vérifier si toutes les radios du quartier ont annoncé la même mauvaise nouvelle.

D'autres encore pleurent, se roulent par terre avec la photo du chef de la Révolution congolaise dans les mains, et ils crient qu'ils n'ont plus envie de vivre, que leur vie ne vaut plus rien, qu'ils veulent être enterrés avec le camarade président Marien Ngouabi, qu'ils ne savent pas ce qu'ils vont devenir ni ce que sera notre pays dans les années qui viennent. Ils racontent qu'il n'y aura plus d'électricité, même dans les quartiers des capitalistes noirs, que l'essence, la bière, les poissons salés vont manquer, que le manioc va coûter plus cher que le cochon, le cochon plus cher que les loyers, les loyers plus chers que les salaires, etc.

Il faut que je pleure moi aussi, j'essaye, mais c'est difficile. La seule façon c'est de me mettre du piment dans les yeux comme font les veuves quand elles n'arrivent pas à pleurer leur mari. Or ces veuves sont des manœuvrières qui jouent leur cinéma en pensant déjà à l'héritage qu'elles vont avoir, et elles savent que la quantité des larmes va être mesurée par la famille si elles veulent avoir la maison ou la voiture, sinon tout ça ira chez la belle-sœur ou chez la belle-mère.

Je veux pleurer parce que le camarade président Marien Ngouabi était quelqu'un de bien, et c'est triste de réentendre à La Voix de la Révolution Congolaise son discours d'il y a cinq jours quand on fêtait dans tout le pays le douzième anniversaire de l'Union Révolutionnaire des Femmes du Congo. Lorsqu'on l'écoute, c'est comme s'il était vivant ou alors qu'il était au courant qu'il allait mourir et qu'il nous laissait des paroles profondes, sachant qu'on allait les analyser en long et en large quand il ne serait plus avec nous.

Dans ce dernier discours il promettait de tout faire pour que nous n'ayons plus à souffrir de la crise économique provoquée par les pays riches, et il ajoutait que notre peuple devait chercher la paix malgré les embrouilles des impérialistes qui n'ont rien d'autre à faire que de nous embêter matin, midi et soir après avoir volé nos richesses en quantité industrielle.

Quand je dis que le camarade président Marien Ngouabi était certainement au courant qu'il allait nous quitter pour de bon, c'est à cause des dernières paroles de son discours :

« *Lorsque ton pays est sale et manque de paix durable, tu ne peux lui rendre sa propreté et son unité qu'en le lavant avec ton sang…* »

Quand passent les cigognes

Si je décide d'utiliser du piment comme les veuves de Pointe-Noire pour avoir des larmes, je me créerai de gros ennuis avec Maman Pauline qui me rajoutera d'autres piments dans les yeux. Alors, pour appeler la tristesse, je repense aux leçons d'instruction civique que nous apprenions chaque semaine à l'école primaire.

Nous écoutions dans un magnétophone la chanson soviétique *Quand passent les cigognes*, puis on nous la faisait chanter, et moi Michel, ce n'est pas pour me vanter, j'étais le seul à la maîtriser du début jusqu'à la fin, on dirait que le russe est une langue normale alors qu'elle n'arrive pas au talon du français.

Il y avait d'autres chansons soviétiques, elles étaient pareilles, avec des violons, avec de l'accordéon, avec du piano. Et les Soviétiques chantent avec de grosses voix, comme dans nos funérailles où nous chantons de la même façon pour complimenter le cadavre, comme ça il va au moins s'imaginer qu'il a été quelqu'un d'important alors qu'il n'était qu'un casse-pieds qui fatiguait les gens. Attention, la tristesse qui sort dans les voix des Soviétiques est très différente de la tristesse de nos chanteurs ! Chez nous c'est une fausse tristesse alors que chez les Soviétiques c'est sérieux et, à certains moments, eux-mêmes oublient que ce n'est qu'une chanson pour se divertir, et ils se mettent à pleurer en vrai dans leur langue. Nous, si on prend une grosse voix triste c'est en fait pour expliquer au défunt qui refuse d'aller vivre au pays des décédés que ça suffit comme ça, qu'on n'a pas des tonneaux de larmes en réserve pour le pleurer pendant des semaines et des semaines comme s'il était le mort le plus malheureux de ce pays. On lui fait comprendre qu'il est temps d'arrêter sa comédie de cadavre mal éduqué et qui n'a pas honte d'avoir honte devant sa famille. On lui rappelle que les voisins sont venus, qu'ils ont donné de l'argent, du café et des bougies à mettre autour de son lit de mort, des draps blancs pour le couvrir, ils se sont cotisés pour l'achat du cercueil, comme ça son dernier voyage se passera bien et les autres défunts ne se moqueront pas de lui sous prétexte que ses parents se sont endettés pour payer ses funérailles.

Si je chantais bien *Quand passent les cigognes* sans me tromper, c'était parce que ma mémoire était gentille avec moi et me soufflait dans l'oreille le nombre de fois où j'avais déjà été fouetté pour l'apprendre. C'était le maître qui nous avait tout traduit en français, sans quoi on n'allait pas comprendre ce que les Soviétiques cachaient dans les paroles. Chaque matin donc, après avoir dit du bien du camarade président Marien Ngouabi devant notre drapeau national dans la grande cour, dès l'entrée dans la salle, avant même de commencer les fables de Jean de La Fontaine qu'on aimait parce que dedans il y avait des animaux intelligents qui parlaient le français sans faire des fautes de grammaire ou d'orthographe comme s'ils étaient allés à l'école, on récitait les huit premières lignes. J'étais au premier rang, surtout quand on nous avertissait que les membres du Parti Congolais du Travail allaient venir de Brazzaville pour visiter les écoles de Pointe-Noire. J'ai encore cela dans ma tête :

Il me semble parfois que les soldats
Qui ont laissé leur vie sur des champs de bataille
                                    [inondés de sang
Ne gisent pas au sein de notre terre
Mais se sont transformés en cigognes blanches…

Et jusqu'alors, depuis cette époque si lointaine,
Ils volent au-dessus de nos têtes et poussent
                                    [des gémissements.
Est-ce pour cela que l'on se tait, pleins de tristesse,
En regardant le ciel ?

Selon notre maître, nous autres les élèves qui allions passer le Certificat d'Études Primaires nous étions les cigognes blanches de la Révolution socialiste congolaise, et le camarade président Marien Ngouabi comptait sur nous pour l'aider à développer notre pays, notre continent et les autres continents aussi, y compris tous ces pays d'Europe qui croient qu'ils sont déjà développés alors qu'ils changent trop de présidents et que, malheureusement, c'est leur peuple qui vote le chef au lieu de créer leur Parti Congolais du Travail à eux qui va leur apprendre comment faire les choses pour que leur camarade président reste au pouvoir jusqu'à sa mort.

Quand le maître avait fini de dire que nous étions les cigognes blanches de la Révolution socialiste congolaise, il nous reposait la question pour contrôler si vraiment nous avions bien compris :

– Qui êtes-vous ?

Nous répondions en chœur :

– Nous sommes les cigognes blanches de la Révolution socialiste congolaise !

– En tant que cigognes blanches de la Révolution socialiste congolaise, quelle est votre mission ?

Nous répondions encore en chœur :

– Notre mission consiste à sacrifier notre vie pour la réussite de la Mission suprême du camarade président Marien Ngouabi, en vue de développer notre pays, notre continent et tous les continents aussi, y compris les pays d'Europe qui croient qu'ils sont déjà développés alors qu'ils changent trop de présidents et que, malheureusement, c'est toujours leur peuple qui vote le chef au lieu de simplement créer leur Parti Congolais du Travail à eux qui va leur apprendre comment faire les choses pour que leur camarade président reste au pouvoir jusqu'à sa mort !

Et il posait la dernière question, plus fort :

– Qui êtes-vous ???

Et nous répondions, plus fort :

– Nous sommes les cigognes blanches de la Révolution socialiste congolaise !!!

Nous sautions de joie. Nous applaudissions tout en nous moquant des pauvres Européens et de leurs présidents incapables de rester chefs jusqu'à leur mort. Nous étions flattés que le camarade président Marien Ngouabi et les gens du gouvernement nous aiment du fond de leur cœur et nous donnent une grande mission comme celle-là alors que dans les autres pays les élèves n'avaient pas cette chance parce que, les pauvres, leur président n'était pas le camarade Marien Ngouabi.

Oui, j'étais fier de chanter *Quand passent les cigognes* même si je me demandais comment les soldats russes morts au combat se transformaient en cigognes blanches qui volent *au-dessus de nos têtes et poussent des gémissements* alors qu'ils n'étaient pas des sorciers de chez nous. En plus de ça les cigognes de couleur blanche, il fallait être présent le jour où elles arrivaient à Pointe-Noire, autrement ce n'était pas possible de les voir. En tout cas, moi, dès que je les croisais à la Côte Sauvage, j'étais déçu parce que ces cigognes blanches n'avaient pas à cent pour cent des plumes blanches, leurs plumes étaient un peu mélangées avec d'autres plumes noires qui étaient minoritaires car si ces plumes noires avaient été majoritaires on aurait confondu ces cigognes blanches avec les cigognes noires.

Nous étions contents et heureux malgré tout, et on nous demandait de réciter les noms des présidents étrangers que notre chef de la Révolution socialiste congolaise avait rencontrés. Certains s'arrêtaient à Brazzaville, d'autres venaient jusqu'à Pointe-Noire, et c'était à nous, les cigognes blanches de la Révolution socialiste congolaise, de les accueillir. On nous préparait pendant une semaine pour que nous soyons tous des élèves intelligents même si les idiots allaient redevenir ensuite des idiots, ce qui était normal. On nous parlait de la vie de chacun de ces présidents étrangers et de comment ils étaient nés pour être des chefs. Il nous fallait étudier par cœur le résumé de l'histoire de leur pays, puis le résumé de leur géographie, et parfois il nous fallait nous habiller comme leur peuple. Nous avions porté en plein midi des manteaux, des gants, des fourrures et des chaussures que les Européens mettent en hiver car ils n'ont pas tout le temps droit au soleil, et c'est pour ça que beaucoup de pays de ce continent-là sont allés coloniser des pays où il fait chaud afin de se rendre là-bas pour passer les vacances avec leurs femmes, leurs enfants, leurs grands-parents malades, sans oublier leurs chiens et leurs chats.

Quand nous n'étions pas déguisés avec des habits de pays étrangers, nous allions accueillir les présidents à l'aéroport de Pointe-Noire simplement vêtus de nos tenues scolaires, c'est-à-dire les filles tout en rose, les garçons avec une chemise kaki et un short bleu comme le ciel de la saison sèche. Il ne fallait pas oublier le foulard rouge à enrouler autour du cou et l'insigne du Mouvement National des Pionniers sinon le directeur de l'école allait nous interdire la chance de notre vie de voir de près les héros qui commandaient dans le monde entier et qui venaient chercher la sagesse auprès du camarade président Marien Ngouabi. Si c'était facile de retenir comment s'appelaient certains présidents, c'était un problème pour d'autres à cause de leurs noms qui étaient tellement compliqués que tous les élèves se demandaient (en cachette) comment avec des noms pareils ils avaient réussi à être des présidents malgré tout. Mais il fallait bien les prononcer et savoir les écrire de long en large. Certains noms, nous croyions que ça s'écrivait comme ça s'entendait ou que ça s'entendait comme ça s'écrivait, eh bien c'était là qu'on se trompait, donc il fallait bien les répéter, les mettre dans les chansons à chanter devant ces chefs car si un nom est dans une chanson, c'est impossible de mal le prononcer ou de l'oublier. Et puis, il y avait des noms qui changeaient tout le temps comme celui du président de la République populaire de Chine : est-ce qu'il fallait retenir Mao Zedong, Mao Tsé-toung, Mao Tsé-tung ou alors Mao Tsö-tong ?

Nous disions du bien de ces présidents en espérant qu'ils allaient nous donner des cadeaux à ramener à la maison pour montrer à nos parents. Mais quand ils descendaient de l'avion ils n'offraient que des fleurs aux écolières. Voilà pourquoi les maîtres et le directeur plaçaient les belles filles devant et cachaient celles qui n'étaient pas belles derrière les garçons très grands.

J'étais présent à l'aéroport de Pointe-Noire lorsque notre président avait reçu le camarade président Nicolae Ceauşescu de la Roumanie. Ce président était venu avec sa femme, et ils étaient très contents de nous entendre chanter :

> *Papa Nicolae Ceauşescu est venu,*
>   *[nous n'aurons plus faim*
> *Papa Nicolae Ceauşescu est notre lumière*
>   *[qui éclaire sans fin*
> *Maman Elena Ceauşescu est la femme*
>   *[la plus belle du monde*
> *Maman Elena Ceauşescu a les yeux*
>   *[plus clairs que l'onde !*
> *Papa Nicolae Ceauşescu oyez !*
> *Maman Elena Ceauşescu oyez !*

Or Papa Nicolae Ceauşescu et Maman Elena Ceauşescu ne savaient pas que, lorsqu'un autre président venait, il nous fallait simplement changer le nom dans cette même chanson. Si le président suivant n'était pas accompagné de sa femme il nous fallait ne chanter que le nom de ce président tout seul.

J'étais là le jour où nous avions accueilli le président des Français. On nous avait interdit de l'appeler « le camarade président Georges Pompidou », la Révolution des Français était déjà périmée depuis longtemps et de toute façon ce n'était pas ce président-là qui l'avait commencée. Nous devions l'appeler « Tonton Pompidou » parce que, d'après le maître et le directeur, il était un parent de notre propre famille grâce à la colonisation que son pays a amenée chez nous et de leur langue que nous parlons. Eh bien, nous ça nous arrangeait car Pompidou c'est un nom que nous aimions bien, c'était comme le surnom d'un bébé gentil qui boit son biberon le soir et qui s'endort sans embêter ses parents jusqu'à sept heures du matin. Ses cheveux étaient tirés en arrière, il souriait tout le temps comme s'il nous connaissait et que nous étions ses nièces et ses neveux. Nous aussi nous lui souriions tout le temps, comme si nous le connaissions et qu'il était notre oncle en vrai alors qu'il n'était même pas noir et congolais.

J'étais là quand nous avions chanté le nom du camarade Amilcar Cabral même s'il n'était pas un président de la République. On nous avait expliqué qu'il avait aidé la Guinée-Bissau et le Cap-Vert à être des pays indépendants alors que les Portugais qui les colonisaient ne voulaient pas en entendre parler. Le camarade Amilcar Cabral était le plus applaudi à Pointe-Noire, mais malheureusement, un an après sa visite chez nous, il a été assassiné par les Noirs complices et les impérialistes portugais. Il n'a donc pas vu l'indépendance qui est arrivée dans son dos, six mois après sa mort. Nous étions contents malgré tout parce que c'est grâce à lui que la Guinée-Bissau et le Cap-Vert sont devenus indépendants comme notre pays. Le camarade président Marien Ngouabi l'aimait, et c'est pour ça que, pas loin de Brazzaville, il y a une école qui s'appelle Lycée Agricole Amilcar-Cabral. C'est dans ce lycée qu'on forme ceux qui vont devenir un jour des ingénieurs de l'agriculture même si les gens croient que ça ne sert à rien d'apprendre ça, que tout le monde connaît l'agriculture et sait comment utiliser la houe pour débroussailler les mauvaises herbes et planter ensuite les arachides, les ignames et les patates douces de la région de la Bouenza...

Et puis, quand les présidents étrangers ne venaient pas chez nous, c'est le camarade président Marien Ngouabi qui allait chez eux. Je ne peux pas savoir si dans les pays où il était reçu, en dehors de la Roumanie, de l'URSS, de la Hongrie ou de la Bulgarie, les écolières et les écoliers chantaient son nom comme nous chantions les noms de leurs présidents. Dès que le chef de notre Révolution socialiste revenait de ses voyages, notre radio disait toujours qu'il était très content, qu'il avait été applaudi par des millions et des millions de gens qui pleuraient, qui ne voulaient pas qu'il reparte, mais il s'excusait de repartir parce qu'il n'avait pas fini sa mission de développer notre pays.

Le camarade président Marien Ngouabi était allé chez les Éthiopiens où il avait salué leur empereur qui s'appelle Haïlé Sélassié Ier et que Bob Marley chante dans son reggae que nous écoutons à Pointe-Noire. Quand j'ai vu dans le journal les photos de cet empereur-là, j'ai demandé à Papa Roger où ce type faisait fabriquer ces jolies médailles en or qu'il porte sur sa poitrine et qui sont plus belles que les médailles que les Noirs américains reçoivent lorsqu'ils ont gagné la course aux Jeux olympiques. Papa Roger a répondu qu'Haïlé Sélassié Ier était le Roi des rois sur cette terre. Donc il était au-dessus du camarade président Marien Ngouabi, mais notre radio ne pouvait pas raconter ça sinon le chef de la Révolution serait fâché à mort. Cet empereur-là était tellement fort et têtu que même quand les Blancs colonisaient son pays il continuait encore à crier que c'était lui le Roi des rois, qu'il ne reconnaissait pas le pouvoir des Blancs.

Notre président avait aussi rencontré le camarade président de la République populaire de Chine, celui-là qui s'appelle Mao Zedong, Mao Tsé-toung, Mao Tsé-tung ou alors Mao Tsö-tong, et c'était normal de le rencontrer, nos deux pays sont des frères, mais quand même c'est la Chine qui est la grande sœur, c'est elle qui nous a cadeauté les hôpitaux, c'est elle qui nous a construit gratuitement le barrage de Moukoukoulou chez les Babembe, dans la région de la Bouenza, et Papa Roger dit que c'est grâce à ce barrage qu'il y a le courant jusqu'au Zaïre.

En Chine il y avait les écolières et les écoliers pour bien accueillir le camarade président Marien Ngouabi puisque c'est nous qui avions copié cette technique sur eux et sur les Soviétiques.

Le chef de la Révolution socialiste congolaise avait dit des paroles que nous avons apprises par cœur et qui ont plu au camarade président Mao Zedong, Mao Tsé-toung, Mao Tsé-tung ou alors Mao Tsö-tong :

« *Votre peuple est devenu aujourd'hui le symbole de la dignité et de l'honneur, donnant au monde entier l'exemple de la réussite par le travail, dans une voie juste. C'est à la source de cette expérience à la fois riche et exaltante que nous sommes venus boire.* »

Et c'était grâce à ces mots gentils que nous avions arrêté de nous moquer en cachette du nom du Premier ministre des Chinois qui s'appelle Chou En-laï. Nous ça nous faisait pourtant bien rire parce que nous dessinions en secret un chou et de l'ail à côté, puis nous éclations de rire. Mais comme le camarade président Marien

Ngouabi avait dit que c'était à la source de l'expérience à la fois riche et exaltante qu'il était parti boire là-bas en Chine, on avait laissé Chou En-laï tranquille sinon il allait s'énerver et mettre carrément du poison dans la source en question qui serait devenue comme notre rivière Tchinouka où les pauvres poissons nagent au milieu de l'armée des microbes jusqu'à mourir les uns après les autres sans avoir eu la chance d'être pêchés, puis d'être mangés à midi avec du foufou, du manioc et du piment rouge.

Le camarade président Marien Ngouabi avait rencontré nos sœurs et frères de la Corée du Nord, et le président de cette Corée du Nord, le camarade Kim Il Sung, lui avait donné une belle médaille parce que notre chef de la Révolution était d'accord avec lui pour qu'on arrête d'avoir deux pays en Corée, un au nord, un au sud, comme quand les gens avaient voulu diviser le Nigeria avec leur histoire de Biafra.

Puisque notre chef de la Révolution socialiste congolaise était déjà à l'étranger, il en avait profité pour aller dire un petit bonjour au camarade président Leonid Ilitch Brejnev de l'URSS, dans ce pays où les cigognes blanches qui volent au-dessus des têtes des gens ne sont pas de vrais oiseaux mais des soldats soviétiques morts sur les champs de bataille inondés de sang. Chez les Soviétiques, le camarade président Marien Ngouabi était comme chez lui. Il y a beaucoup de Congolais qui étudient là-bas et qui, à leur retour au pays, deviendront des membres du Parti Congolais du Travail. Et puis, il paraît que les femmes russes ne sont pas trop compliquées à épouser, elles ne posent pas de problème si on les demande en mariage même si on les prévient qu'elles ne seront pas véhiculées, qu'elles iront puiser de l'eau dans la rivière comme les Congolaises et qu'elles mangeront avec leurs doigts du manioc, du foufou ou de la pâte d'arachide au poisson fumé. Elles viennent sans hésiter, elles peuvent vivre dans nos villages, et elles seront toujours contentes comme si elles n'aimaient pas leur propre pays à cause de la neige qui fait qu'on ne peut pas trop remarquer leur beauté car les gros manteaux cachent trop les belles choses qu'elles ont devant et derrière et que je ne veux pas décrire ici sinon on va encore dire que moi Michel j'exagère toujours et que parfois je suis impoli sans le savoir. Les Congolais qui sont allés en URSS racontent que si ces femmes soviétiques enlèvent leur manteau on verra tout de suite qu'elles sont les plus belles d'Europe même si malheureusement elles ne parlent pas le français...

Le camarade président Marien Ngouabi est allé voir le camarade président Fidel Castro à Cuba, et tous les deux ils ont critiqué les Américains qui ne veulent pas que les Cubains se développent. Or les Cubains sont nos frères, et donc ils peuvent venir chez nous quand ils veulent, y compris pour entraîner nos militaires et aider d'autres camarades de notre continent qui se battent contre les complices de l'impérialisme. Les Cubains, nous les Congolais nous les connaissons bien, ils sont en Angola où ils ont la mission de faire la guerre pour protéger le camarade président Agostinho Neto contre le méchant rebelle Jonas Savimbi qui met la guerre civile partout avec ses complices du Portugal, de l'Amérique et de l'Afrique du Sud comme si on était encore dans la guerre civile du Biafra alors qu'à voir la photo de ces deux Angolais, n'importe qui dira immédiatement que c'est le camarade président Agostinho Neto qui est le plus beau, et en plus il écrit des poèmes que nous avons étudiés alors que Jonas Savimbi n'a jamais écrit un poème qu'on étudie dans les écoles de chez nous. C'est donc normal que les Cubains donnent un coup de main au camarade président Agostinho Neto. De plus, ces mêmes Cubains sont trop gentils avec nous quand ils viennent traîner à Pointe-Noire pour boire des bières dans les bars, regarder les derrières des filles avant de repartir protéger le président des Angolais qui aime beaucoup le camarade président Marien Ngouabi et qui doit le pleurer en ce moment...

Notre chef de la Révolution rendait également visite aux présidents de l'Afrique. Il était allé discuter avec le camarade président Mouammar Kadhafi dans le but de bien s'entendre avec lui afin de ne pas laisser les ennemis gêner notre développement car quand on est ensemble et soudés l'impérialisme ne peut pas trouver par quel trou passer. Il avait donc fait la même chose avec la plupart des présidents africains qui s'accordent sur le développement de notre continent et qui s'occupent déjà bien de leur peuple comme si ces peuples étaient leurs propres enfants : Syad Barre de la Somalie, Gaafar Nimeiry du Soudan, Juvénal Habyarimana du Rwanda, Julius Nyerere de la Tanzanie, Kenneth Kaunda de la Zambie, Macias Nguema de la Guinée équatoriale, Jean-Bedel Bokassa de la République centrafricaine, Félix Houphouët-Boigny de la Côte d'Ivoire, Léopold Sédar Senghor du Sénégal, Anouar el-Sadate de l'Égypte, Houari Boumediene de l'Algérie, Sékou Touré de la Guinée, Félix Malloum du Tchad, Ahmadou Ahidjo du Cameroun, Idi Amin Dada de l'Ouganda, Mobutu Sese Seko Kuku Ngbendu Wa Za Banga du Zaïre, Samora Machel du Mozambique, Omar Bongo du Gabon, et même le président du Nigeria Olusegun Obasanjo qui avait été félicité au début de cette année par le pape Paul VI parce qu'il avait eu la bonne idée d'organiser chez lui un grand festival où on discutait des cultures des Noirs du monde entier.

C'est donc dire que le camarade président Marien Ngouabi n'était pas un homme rancunier, il aimait l'Afrique comme il aimait notre propre pays et comme si les gens de ces autres pays étaient eux aussi des Congolais…

Le coureur

Malgré ces souvenirs des leçons d'instruction civique et des noms des présidents du monde entier que le camarade président Marien Ngouabi a rencontrés, je n'arrive pas à le pleurer comme il faut.

J'aperçois un monsieur bizarre en face de notre parcelle. Il gronde ses trois garçons, je n'aimerais pas avoir un père qui se comporte comme lui. Je me rapproche un peu, j'ai envie de mieux entendre ce qui l'énerve et le pousse à crier sur ses pauvres enfants. Il leur dit de ne plus jouer dehors, de vite retourner à la maison, de demander à leur maman de fermer les portes et les fenêtres jusqu'à la fin des funérailles du camarade président Marien Ngouabi. Il est très petit, il porte un pantalon à pattes d'éléphant et des chaussures Salamander à trois étages pour que les gens pensent qu'il est grand de taille alors que c'est faux, qu'on peut bien voir qu'il n'est pas géant parce que, quand on est géant, on est géant partout : les bras, les doigts, les jambes, etc. Le camarade président Marien Ngouabi était lui aussi très petit de taille et portait des chaussures Salamander de ce genre, peut-être dans l'espoir de ne pas être trop court de taille devant les autres présidents, au risque de ressembler à un verre posé à côté d'une bouteille de vin rouge.

Le monsieur reste un instant devant chez nous à regarder ses enfants s'éloigner, et il hurle maintenant :

– Courez ! Courez ! Courez, bon Dieu !

Je les vois courir dans la direction de l'avenue du pont de Voungou, comme s'ils faisaient la course contre la montre et que leur papa calculait le temps de chacun. Ils ne regardent pas en arrière, ils courent, ils courent, ils courent, et c'est le plus minuscule d'entre eux qui court à la vitesse d'une gazelle.

Les trois garçons foncent, foncent, foncent encore. Le petit monsieur regarde vers notre parcelle et remarque que moi Michel je suis là debout devant l'entrée en train de tout suivre tel un espion. Nos yeux se croisent. Il a d'abord honte, puis il est effrayé et se met soudain à courir lui aussi. Mais il va vers le quartier Fond Tié-Tié, dans le sens contraire où sont allés ses trois enfants. Moi je trouve ça étrange et je me dis : Est-ce qu'il ne se rend pas dans une autre maison, celle de sa deuxième, troisième ou quatrième femme ?

Je me retourne, j'aperçois mon père qui bouge l'antenne de la radio pour mieux capter. Je ne peux pas lui demander si ce petit monsieur part rejoindre sa deuxième, sa troisième ou sa quatrième femme sinon il va croire que c'est une façon pour moi de savoir si lui, Papa Roger, ira également chez sa seconde femme, Maman Martine, que j'aime beaucoup. Les enfants de Maman Martine sont aussi mes frères et mes sœurs même si je ne suis pas né dans son ventre et que j'ai été adopté par Papa Roger alors que je n'avais pas encore un an et que Maman Pauline arrivait juste à Pointe-Noire après que celui qui aurait été mon père, ce gendarme qui a fait que je déteste tous les gendarmes du monde entier, s'était enfui en nous abandonnant à Mouyondzi, dans la région de la Bouenza. Papa Roger nous répète, à Maman Pauline et à moi, que les enfants qu'il a eus avec Maman Martine sont aussi les enfants de ma mère, et ils sont aussi mes sœurs et mes frères, qu'il ne fait pas et ne fera jamais de différence entre eux et moi, que lorsque je vais voir Maman Martine au quartier Joli-Soir elle me traite comme si j'étais sorti tout droit de son ventre, qu'elle sait que j'aime le petit Maximilien, que c'était touchant de voir comment la petite Félicienne faisait pipi sur moi, que Marius me parlait beaucoup, que la sœur Mbombie me respectait, que la sœur Ginette me protégeait, que la grande sœur Georgette était une bonne grande sœur et que le grand frère Yaya Gaston, notre grand frère à tous, voulait toujours que moi Michel j'habite avec lui dans son studio. Mais maintenant j'habite ici, à Voungou avec Maman Pauline, parce que je ne vais pas la laisser toute seule quand Papa Roger va dormir dans l'autre maison du quartier Joli-Soir. Elle risquerait de penser qu'elle n'a plus d'enfant alors que je suis là et que je serai toujours là. Je reste ici même si de temps en temps je peux aller voir mes frères et mes sœurs…

Donc, en voyant courir ce petit monsieur dans l'autre direction que celle de ses enfants, je ne peux pas demander à mon père : Papa, est-ce que tu dois aller à Joli-Soir expliquer à Maman Martine de bien fermer la parcelle, de bien fermer les portes et les fenêtres de la maison jusqu'à la fin des funérailles du camarade président Marien Ngouabi ?

Les Salamander

Encore des hommes, des femmes, des enfants qui vont, qui viennent, qui s'attroupent, qui discutent, qui ne sont pas d'accord sur la façon dont le camarade président Marien Ngouabi est mort. Et ils parlent tellement fort que c'est comme si j'étais avec eux. Y en a un qui est chauve sur les côtés avec une touffe de cheveux au milieu et qui hurle :

– C'est un complot militaire, tout le monde le sait ! Faut pas chercher midi à 14 h 30, les assassins du camarade président Marien Ngouabi sont parmi les membres du Comité Militaire du Parti !

Un autre, musclé comme Hercule, lui répond :

– Un complot militaire ? C'est pas un complot militaire ! Est-ce que tu connais la politique, toi ? C'est lui-même, le camarade président Marien Ngouabi, qui a causé sa mort quand il essayait de comprendre comment marchait son nouveau pistolet que les Soviétiques lui ont offert le 31 décembre passé pour son trente-huitième anniversaire !

– Ah oui ? Et pourquoi il a attendu presque trois mois avant d'essayer ce pistolet ? Est-ce que c'est à 14 h 30 qu'on essaye les pistolets, hein ? Et puis, le camarade président Marien Ngouabi est quelqu'un qui a fait Saint-Cyr, et là-bas, pendant sa formation, il a essayé toutes les armes qui existent dans ce monde !

Le monsieur qui a les muscles d'Hercule met vite sa main sur la bouche. Il vient de comprendre qu'il a trop parlé devant le demi-chauve :

– D'ailleurs, on discute comme si on se connaissait, tu es de quelle région, toi ?

– De quelle région je suis ? Tu me demandes de quelle région je viens ? Et pourquoi ?

– Pour rien, c'est juste pour savoir avec qui je parle et…

– Eh bien, je suis du Nord, plus précisément de l'ethnie des Bangangoulou. Mais attention, j'ai des amis du Sud : des Lari, des Babembe, des Vili, des Dondo, des Kamba et, en plus, après la mort de mon père, ma propre mère a épousé un Sudiste qui lui-même était élevé par un gentil Nordiste qui…

– Ah ben voilà, tu es nordiste ! Ne cherche pas à m'embrouiller, ça se voit de loin ! D'ailleurs, pourquoi je discute avec un Nordiste, moi ? Je comprends maintenant pourquoi tu ne veux pas savoir que vous les Nordistes vous êtes les assassins du camarade président Marien Ngouabi qui était pourtant de votre région, et vous mettez ça sur notre dos à nous les Sudistes ! C'est pas nous qui l'avons tué, c'est vous ! Débrouillez-vous avec votre cadavre, laissez notre Sud tranquille sinon on va refaire la guerre civile pour diviser ce pays en deux, comme ça vous continuerez à assassiner vos frères pour le pouvoir, nous on va s'occuper de notre pétrole à Pointe-Noire nous-mêmes et le vendre aux Américains, aux Italiens, aux Espagnols, mais surtout pas aux Français !...

– Et toi tu es d'où toi-même ?

– Je suis lari, tu as un problème ?

De plus en plus de véhicules militaires sillonnent dans notre quartier. Je me demande comment ils ont fait pour être aussi rapides et organisés. Est-ce que les militaires, eux, n'étaient pas déjà au courant de la nouvelle depuis hier ? En tout cas, ils roulent lentement, les gens les regardent d'abord avec crainte avant de s'enfuir dans les petites ruelles ou d'entrer dans la première parcelle comme si ceux qui y habitent étaient leurs propres parents. Dès que les camions ont disparu, ces peureux ressortent et allongent leur cou, guettent vers quelle direction vont ces militaires. Les camions en question sont tout noirs, il n'y a que le capot qui est rouge vif comme le drapeau de la Révolution, et on ne voit même pas le chauffeur et le militaire assis à ses côtés car les vitres sont fumées. On imagine seulement qu'eux voient tout, et que si quelqu'un s'amuse à faire le petit malin, ils ne vont pas hésiter à mitrailler.

Papa Roger est tout triste à côté de sa radio, avec la main droite collée à la joue, bien accoudé sur sa jambe. Celui qui le voit dans cette posture va se dire que le camarade président Marien Ngouabi était un membre direct de notre famille, peut-être même qu'il était son frère. Donc, pour lui montrer que moi Michel je suis désormais triste comme lui, que je veux être triste comme lui, je m'avance et je lui demande :

– Papa, est-ce que tu sais qui va désormais porter les chaussures Salamander que le camarade président Marien Ngouabi vient de laisser ?...

La Renault 5 rouge

Tout l'après-midi je n'ai fait que penser à ça. J'ai enfin dit à Papa Roger qu'il fallait que j'aille à la recherche de Mboua Mabé, cela fait plus de quatre heures qu'il n'est pas revenu.

— Tu es sérieux ?

— Je dois le retrouver et…

— Ce n'est qu'un animal, Michel !

— C'est mon chien, papa, en plus je…

— La mort du président est plus importante que les caprices d'un canidé hypocrite et peureux ! En plus, ça ne lui suffisait pas, ces gros morceaux de porc ? Il faut à présent qu'il aille manger dans les poubelles de toute la ville pour qu'on pense qu'il n'est pas nourri chez nous, hein ?

Moi je ne suis pas d'accord :

— C'est la faute à la radio…

— Comment ça ?

— Si on l'avait éteinte comme le voulait Maman Pauline on aurait bien mangé. Mboua Mabé ne fréquente jamais les poubelles de Pointe-Noire, je le lui interdis…

Je continue à défendre notre chien, je dis à mon père que ce n'est pas parce que Mboua Mabé n'a pas eu la chance d'être un humain qu'on ne doit pas s'inquiéter pour lui. Je veux savoir pourquoi il a tremblé, pourquoi il s'est enfui comme si le diable sortait tout droit de la Grundig des Allemands rien que pour l'épouvanter parce que lui il sait qui sont les assassins du camarade président Marien Ngouabi. J'avais promis de protéger Mboua Mabé, et lui il avait promis de protéger notre parcelle, de nous protéger nous aussi. Or s'il n'est plus là, les méchants qui ont tué le camarade président Marien Ngouabi vont entrer dans notre parcelle, nous voler en premier notre Grundig, puis notre table, puis nos chaises, puis nos tabourets, puis nos lits, sans compter les gros billets de cinq mille francs que les Blancs offrent à mon père à l'hôtel Victory Palace et qui ne sont jamais froissés, on dirait que quelqu'un les lave et les repasse au fer à charbon pour qu'ils restent propres et plats comme ça.

Papa Roger m'écoute, il réfléchit en même temps avec un petit sourire alors que je ne vois pas ce qui l'amuse dans ce que je viens de lui dire et qui est très sérieux.

Je vérifie bien que je n'ai pas mis ma chemise à l'envers. Je ferme tous les boutons parce qu'il commence à faire frais à cause du soleil qui a déjà pris la route de la Côte Sauvage pour aller éclairer d'autres pays.

Je fais un pas vers la sortie de la parcelle.

J'en fais un deuxième, puis un troisième, et c'est à ce moment-là que Papa Roger m'attrape par la chemise :

– Non, Michel, tu n'iras nulle part. Il sera bientôt dix-neuf heures, des patrouilles de l'Armée Nationale Populaire circulent partout pour faire respecter le couvre-feu. Et ce couvre-feu concerne aussi les adolescents comme toi...

Ce n'est pas la première fois que j'entends ce mot bizarre de « couvre-feu ». D'habitude quand la radio parle des guerres en Afrique ou ailleurs, il revient dix fois, avec d'autres comme « cessez-le-feu », « ouvrir le feu », « à feu et à sang », « mare de sang », etc. Et c'est parce qu'il y a le couvre-feu qu'on n'a plus le droit de rester dehors la nuit jusqu'au matin de bonne heure. Les ennemis de la Révolution socialiste se cachent au milieu des gens normaux puis, dès que la nuit tombe, ils préparent d'autres plans pour semer la pagaille dans le pays qui ne leur a rien fait de mal. Il m'apprend même que ces méchants comploteurs risquent de mettre également le désordre ici à Pointe-Noire car quand il y a des pépins graves à Brazzaville là-bas où on ne parle que de politique matin, midi et soir, c'est toujours pour le pétrole.

– Et notre pétrole il se trouve où, Michel ?

– Ici à Pointe-Noire…

– Voilà, tu as tout compris maintenant !

D'un autre côté je me dis : Pourquoi ils ramèneraient leur zizanie ici alors qu'ils risquent de gaspiller le pétrole s'ils se battent à se battre les uns contre les autres comme les Nigérians et leur guerre du Biafra qui n'était pas une bagarre de prostituées ?

– Tu ne bougeras pas d'ici, Michel. Mboua Mabé se comporte tel un valet local de l'impérialisme. Je ne sentais pas ce chien de toute façon ! Si un canidé laisse une vraie nourriture parce qu'on a assassiné un président, c'est que ce chien doit forcément avoir quelque chose à se reprocher…

Non, je ne peux pas abandonner Mboua Mabé seul dans cette ville de fous sans tête car une voiture peut l'écraser dehors et son corps restera dans la rue avant d'être mangé par les mouches, les guêpes, les serpents et les autres bêtes venues sur cette terre pour nous embêter tout le temps alors qu'elles pouvaient créer leur propre pays.

Non, Mboua Mabé n'est pas un canidé. Je n'aime pas ce mot, on dirait que mon chien ne vaut rien et ressemble à ces autres chiens sans maître.

Non, Mboua Mabé n'est pas hypocrite comme le croit Papa Roger. Les hypocrites c'est des gens bizarres qui cachent ce qu'ils vont faire et, quand on ne s'y attend pas, vous font du mal. Est-ce que c'est ainsi que se comporte mon chien ? Moi Michel je sais lire ce qu'il y a au fond du cœur de Mboua Mabé, il ne me cache rien. Il me demande toujours s'il veut agir comme ceci ou comme cela, s'il veut se gratter ou aller se reposer sous le manguier parce qu'il sait que sans ma permission je vais le blâmer.

Non, Mboua Mabé n'a pas la rage. C'est vrai qu'il est tellement maigre que même les puces sont déçues de ne pas trouver où piquer pour boire son sang. Mais moi aussi je suis maigre, est-ce que ça veut dire que j'ai la rage ?

Ce n'est pas parce que Mboua Mabé est incapable de répondre en français ou dans nos langues ethniques qu'il faut lui mettre tout sur le dos comme s'il était le bouc émissaire dont parle le père Weyler à l'église Saint-Jean-Bosco, pas loin de la parcelle des parents de mes amis Paul et Placide Moubembé avec qui je joue au football au stade Tata-Louboko. D'ailleurs, Mboua Mabé m'a encore montré qu'il est intelligent parce que c'est le seul animal de la ville qui a été triste, même avant moi, quand on a annoncé la mort du camarade président Marien Ngouabi à La Voix de la Révolution Congolaise. Quel chien dans le monde entier est capable de tourner le dos à un plat de viande de porc aux bananes plantain à cause d'une mauvaise nouvelle qu'il a entendue à la radio et qui a eu lieu à plus de cinq cents kilomètres de là où il est en train de manger, hein ?

Et puis, je me sens seul, c'est lui mon frère, c'est aussi lui ma sœur. La tristesse que j'ai actuellement ce n'est pas pour le camarade président Marien Ngouabi, c'est pour Mboua Mabé. Je ne vais pas écouter Papa Roger, je vais attendre qu'il pense à autre chose, m'enfuir et rechercher mon chien. Pour l'instant je fais comme si j'étais d'accord avec lui.

Mon père ne bouge toujours pas du manguier et regarde de temps en temps vers moi car il sait que je suis têtu.

Maman Pauline prépare une autre nourriture pour nous, et elle avait murmuré, avant d'entrer dans la cuisine :

– Remerciez le camarade président Marien Ngouabi, c'est grâce à sa mort que vous allez remplir vos ventres aujourd'hui !

J'avais entendu ma mère dire que nous allions manger ce soir de la morue à la pâte d'arachide avec le manioc et que demain elle irait acheter de la vraie viande de porc au Grand Marché pour nous préparer le plat qu'on a raté aujourd'hui et dont une partie se trouve dans le ventre de Mboua Mabé. Mais ces promesses-là, moi je les entends sans être heureux, ce n'est pas ça qui me fera sauter de joie. Je veux retrouver mon chien, et il faut que je sorte de la parcelle même si c'est interdit pour tout le monde d'être dehors à partir de dix-neuf heures à cause du couvre-feu...

Papa Roger somnole !

Dieu est très grand de taille, Il m'a écouté ! Je peux maintenant sortir de cette parcelle, hurler partout le nom de Mboua Mabé, le retrouver et revenir avec lui à la maison. Il est quelque part, c'est la honte qui le pousse à se cacher, il faudra bien qu'il explique à Papa Roger, à Maman Pauline et à moi-même pourquoi il a eu ce mauvais comportement. C'est possible aussi que Mboua Mabé qui sort rarement de notre parcelle ne retrouve plus le chemin du retour…

Papa Roger ronfle. C'est ce qui se passe quand il a vidé sa bouteille de vin rouge et consommé trop de tabac à enfoncer dans les narines. Alors, je fais un pas, puis un deuxième, puis un troisième. Je m'éloigne, je m'éloigne encore.

Me voilà au milieu de la parcelle. Mon cœur bat trop fort, j'ai peur que mon père arrête de ronfler et se rende compte que j'ai disparu dans la nuit alors qu'il y a le couvre-feu.

J'entends le bruit des ustensiles dans la cuisine : Maman Pauline est encore occupée avec son plat de morue à la pâte d'arachide, elle ne me verra pas sortir…

Au moment où j'atteins la porte de la parcelle et essaie de passer entre les fils barbelés, parce que si je pousse la porte en bois ça va grincer et tout le monde saura que je sors, une voiture s'arrête devant chez nous et m'envoie ses phares en pleine figure !

Je mets la main droite sur le front pour bien apprécier le modèle de cette voiture. Non, ce n'est pas un modèle extraordinaire comme celui des capitalistes noirs. C'est une Renault 5 rouge. Je la reconnais, je ne peux pas me tromper, j'ai déjà été dedans plus de mille fois, et souvent j'avais l'avantage d'être à côté du chauffeur, de poser mon bras sur la portière comme un grand monsieur pour qu'on me voie à l'avant.

Oui, je reconnais cette Renault 5 rouge : mes cousins et moi-même on l'a parfois lavée à la main avec de la lessive Omo.

C'est la voiture de Tonton René.

Je retourne immédiatement dans la parcelle. Si mon oncle me croise dehors, il risque de me demander : Michel, où vas-tu alors qu'il y a le couvre-feu dans la ville ?

Deux messieurs bizarres

Tonton René n'est pas venu seul ce soir, deux messieurs l'accompagnent, et c'est la première fois que je vois leur figure. Je ne les aime pas déjà rien que par leur façon de s'habiller en costume noir, on dirait qu'ils reviennent du cimetière Mont-Kamba ou d'un retrait de deuil d'une famille du quartier Chic. C'est à cause de leur cravate blanche que je les imagine comme deux pingouins perdus qui ont peur de se séparer. L'un est minuscule de taille et, sans me vanter, je suis plus grand que lui alors qu'il porte des chaussures Salamander à trois ou quatre étages. L'autre type, ça va, il est moyen, son seul problème c'est qu'il se bagarre pour sortir de la voiture comme si son dos était bloqué depuis des années parce qu'il refuse d'aller à l'hôpital Congo-Malembé où les docteurs chinois font leur sorcellerie avec des aiguilles qu'ils enfoncent dans le corps des malades pour les soulager.

Les voilà qui entrent à la queue leu leu dans la parcelle. Mon oncle est devant, suivi par l'homme de taille moyenne avec son dos en pente et le petit monsieur qui porte dans la main droite une mallette noire. Je reconnais cette mallette : c'est celle de Tonton René. Je l'ai toujours admirée quand mon oncle l'ouvre chez lui en appuyant sur un bouton et sort beaucoup de papiers très importants, puis corrige plein de choses avec son Bic rouge comme notre professeur de français au collège des Trois-Glorieuses alors qu'il vend des voitures au centre-ville et que pour vendre les voitures on doit plus parler qu'écrire.

Papa Roger est au garde-à-vous devant ce groupe. C'est surtout pour respecter Tonton René parce qu'à force d'être trop riche il est devenu un capitaliste noir, le seul de notre famille, même si sa voiture qu'il change trois ou quatre fois par an n'est pas plus belle que celles des capitalistes noirs que je rencontre lorsque je pars faire les courses dans la boutique *Au cas par cas* ou chez le Sénégalais Nanga Dèf.

Non, Maman Pauline n'est pas au garde-à-vous comme mon père, elle s'est mise à genoux au milieu de la cour. Ceux qui voient la scène se diront que ma mère est trop ridicule dans cette position de prière, mais chez nous les Babembe c'est comme ça que les petites sœurs ou les petits frères montrent leur respect à leurs grandes sœurs ou à leurs grands frères.

Les trois visiteurs se concurrencent pour aider ma mère à se remettre debout. Elle a des larmes qui coulent jusqu'à son cou. Est-ce qu'elle sent que les nouvelles qu'on va nous annoncer seront plus graves que la mort du camarade président Marien Ngouabi ou la disparition de Mboua Mabé ?

Elle s'est relevée. Elle enlève la poussière sur elle en frappant un morceau de pagne au niveau des genoux et partout où on lui signale qu'il en reste encore un peu. Puis, ils se prennent dans les bras les uns les autres, parlent en bembe. Le bembe de Tonton René est facile à comprendre : il mélange tellement de français dedans qu'on peut penser que c'est le français qui copie les mots de notre langue alors que c'est le contraire.

Je suis derrière eux, Maman Pauline se retourne, elle me montre du doigt et dit aux deux inconnus :

– C'est Michel… C'est votre neveu…

L'homme qui n'aime pas les docteurs chinois de l'hôpital Congo-Malembé s'étonne :

– Quoi ? Ce petit gaillard-là c'est Michel ? Non ! C'est pas vrai, Pauline ! Qu'est-ce qu'il a grandi ! Il va être plus géant que le général de Gaulle, ce petit ! Quand je pense que je l'ai porté sur mes genoux et qu'il m'en a mis partout ! Bon, j'aurais pu faire des efforts pour le voir régulièrement, mais avec les fonctions que j'exerce…

Le petit monsieur qui porte la mallette de mon oncle recule de deux pas et me mesure avec ses yeux :

– Dites donc, il est impoli : il a carrément dépassé ma taille ! Je voudrais bien savoir ce qu'on lui donne comme nourriture dans cette maison ! Ah ! Ah ! Ah !

Tonton René est habillé tout en blanc. Il a un insigne qui brille sur le revers gauche de sa veste et qu'il porte depuis qu'il est devenu membre du Parti Congolais du Travail. S'il s'est habillé en blanc c'est pour qu'on remarque dans cette nuit de couvre-feu, même de très loin, cet insigne rouge et tout rond qui me rappelle les biscuits du père Weyler à l'église Saint-Jean-Bosco pendant les leçons de catéchisme quand j'étais encore au cours préparatoire. En ce temps-là, le père Weyler nous avertissait en agitant une chicotte au-dessus de nos têtes :

– Chacun n'aura droit qu'à une seule hostie, les enfants !!!

Or ces biscuits étaient tellement sucrés que plus on en mangeait, plus on en voulait. Donc on faisait trois tours en passant derrière ce prêtre qui portait des lunettes de myopie et qui ne s'apercevait pas qu'il donnait trois fois un biscuit aux mêmes enfants.

Sur l'insigne de Tonton René on voit deux palmes vertes, une à gauche et une autre à droite. Au-dessus de ces palmes, comme pour le drapeau de notre pays, il y a une étoile jaune or et, en dessous, également de couleur jaune or, il y a un marteau et une houe qui se croisent comme la lettre X. Dès qu'on porte cet insigne, même sur une chemise d'occasion, les gens tremblent, ils vous craignent parce qu'ils se disent que les membres du gouvernement vous connaissent et que vous finirez vous aussi ministre un jour. En plus, avec cet insigne, vous voyagez gratuitement dans la micheline en première classe climatisée et, en ville, si votre véhicule est coincé dans la boue à cause de la pluie qui est trop tombée on vous aide à le pousser. Mais ce n'est pas tout puisque si vous faites des courses au Grand Marché, plusieurs personnes se disputent pour les porter jusque dans votre voiture même si vous ne leur laissez pas des pièces de monnaie…

En fait, j'ai un souci avec le petit monsieur et sa bouche en forme de ventouse. Comme Maman Pauline nous a préparé une autre nourriture après celle qu'on a perdue, c'est sûr qu'il va se goinfrer comme quelqu'un qui n'est pas évolué. Je connais ma mère, elle n'arrêtera pas de le servir jusqu'à ce qu'il n'y ait plus rien dans la marmite. Je devine comment les pauvres morceaux de manioc vont disparaître dans sa bouche par quatre ou par cinq d'un seul coup avant de chuter aussi par quatre ou par cinq d'un seul coup dans son estomac qui n'est pas court car le petit monsieur en question a le ventre le plus gros que j'aie jamais vu. Peut-être que je me fais trop d'idées et qu'il a déjà mangé avant de venir ici puisque son ventre est bombé. Peut-être aussi qu'il n'aura pas d'appétit à cause de la mort du camarade président Marien Ngouabi, mais pas de la disparition de Mboua Mabé, ou alors le vrai gourmand c'est l'homme qui a peur des médecins chinois de l'hôpital Congo-Malembé et qui deviendra un homme normal dès que la nourriture sera posée sur la table ? Tout est possible, et c'est pour ça que je vais surveiller à égalité les deux messieurs même si dans la récitation *Le Lion et le Moucheron* de Jean de La Fontaine on nous avertit que parmi nos ennemis les plus à craindre sont les plus petits...

Maman Pauline me demande de sortir des chaises et de les installer sous le manguier.

Tonton René n'est pas d'accord :

– Pauline, ce qu'on va dire est très important. On ne peut pas le faire à l'extérieur, et tu vas vite comprendre pourquoi...

Je leur cache à tous que moi je suis content de rester dehors quand ils discuteront de leur histoire secrète qui ne me regarde pas et qui ne peut pas se discuter à l'extérieur. Pendant ce temps, moi Michel j'irai en catimini rechercher Mboua Mabé.

Ils entrent dans la maison, Papa Roger en dernier avec sa Grundig à la main. Moi je repars au pied de l'arbre, je m'assois sur la chaise en lianes comme si j'étais devenu Papa Roger. Depuis ici, j'entends le bruit des verres que mon père pose sur la table...

Je regarde vers la rue : il n'y a presque plus personne, juste une voiture qui vient de passer avec une seule lumière, puis c'est le silence. Je me dis que c'est ce couvre-feu qui intimide les gens parce que, s'ils traînent dehors, la police va les accuser d'avoir comploté contre le camarade président Marien Ngouabi. C'est comme dans une autre récitation de Jean de La Fontaine, *Les Oreilles du lièvre*, où un animal à cornes avait blessé le lion, et celui-ci était très fâché contre les animaux de cette catégorie. Quand le lièvre avait aperçu l'ombre de ses longues oreilles, il s'était dit que le lion pourrait croire que lui aussi était un animal à cornes, et que le roi des animaux le mangerait quand même sans écouter ses arguments ! Dans le couvre-feu c'est pareil : quand vous êtes dehors vous ressemblez à un animal à cornes, et les lions vont vous manger sans écouter vos explications. Donc, lorsque je serai dans la rue tout à l'heure, et si par malchance j'aperçois un camion rempli de militaires tristes et en colère à cause de la mort du camarade président Marien Ngouabi, j'irai soit me cacher derrière un arbre, soit dans une des maisons abandonnées où vivent les fous de Voungou. Moi Michel je connais notre quartier mieux que les militaires. Je sais par exemple comment arriver jusqu'à l'avenue de l'Indépendance en passant dans les parcelles des voisins alors que les militaires seront obligés de demander ici et là leur chemin, et si personne ne leur explique très bien, ils vont continuer tout droit et finir dans la rivière Tchinouka où les pauvres poissons nagent au milieu des microbes et meurent sans avoir eu la chance d'être pêchés et d'être ensuite mangés à midi avec du foufou, du manioc et du piment rouge. D'un autre côté, à qui ces militaires vont demander leur chemin quand ils seront perdus puisque la radio a dit que tout le monde doit rester chez soi ? Ils ne vont quand même pas aller frapper à chaque porte pour dire : « S'il vous plaît, nous sommes les braves militaires de l'Armée Nationale Populaire, nous recherchons les assassins du camarade président Marien Ngouabi, et nous voulons aller vers Mbota sans passer par Voungou où il y a trop de sorcellerie, mais nous nous sommes perdus, pouvez-vous nous aider ? » Dans leur école militaire nos soldats n'apprennent pas que c'est interdit de blaguer dans ce quartier Voungou qui, comme je l'ai déjà dit, était autrefois un cimetière des Vili, la tribu du Sud qui mange les requins, comme s'il n'y avait pas d'autres poissons moins grands que ça dans la mer. Or les diables et les fantômes qui habitent encore sous notre terre ne sont pas concernés par le couvre-feu car tout le monde sait qu'ils ont l'habitude de ne sortir que la nuit parce que s'ils sortent dans la journée ils auront trop mal aux yeux à cause de la lumière, ils ne seront plus très méchants, et ça leur servira à quoi maintenant d'être des diables et des fantômes ? Donc, dès que ces esprits entendront les bruits des gros camions militaires ici et là, ça sera la pagaille et la zizanie sous la terre, ils sortiront tous, on ne saura plus qui est humain, qui est fantôme, qui est diable, puisque certains diables et certains fantômes porteront eux aussi des tenues militaires pour se mélanger dans les camions avec les soldats de l'Armée Nationale Populaire !

Mais je n'ai pas à m'inquiéter pour ça. Si ces militaires tombent sur moi, est-ce qu'ils vont penser que je complote alors que je suis seul et que, si on réfléchit bien, il faut au moins deux personnes, une seule personne ne peut pas comploter avec elle-même ! Ils vont alors se dire : « Écoutez les gars, laissez-le passer, il n'a pas encore de barbe comme les maquisards de l'ethnie des Lari qu'on chasse et qu'on bombarde là-bas dans la région du Pool, lui c'est qu'un pauvre jeune garçon qui n'a peut-être pas encore mangé et qui rentre chez lui, et c'est pas à son âge qu'on assassine les présidents de la République dans ce pays. » Et ils vont ricaner pendant que moi je vais poursuivre ma route à la recherche de Mboua Mabé. Mais s'il y a quand même leur chef qui veut démontrer aux autres militaires que c'est lui qui est chargé de faire respecter les consignes du couvre-feu et qu'ils doivent m'emmener au cachot pour me fouetter avec un câble de Motobécane AV 42, eh bien j'expliquerai à ce chef que moi Michel je cherche Mboua Mabé qui est parti de la maison parce qu'il a eu très mal au cœur quand il a entendu la mauvaise nouvelle à la radio alors que les autres chiens sont peinards chez eux, surtout les chiens des capitalistes noirs qui se moquent de la mort du camarade président Marien Ngouabi, c'est ces chiens-là qu'il faudrait fouetter avec un câble de Motobécane AV 42. Et si mon explication ne marche pas, eh bien je vais en trouver une autre que le chef des militaires ne pourra qu'accepter sinon il aura des problèmes avec ceux qui sont des chefs au-dessus de lui : je lui dirai que moi Michel j'aime le camarade président Marien Ngouabi comme j'aime Papa Roger, que depuis l'école primaire je suis devenu une cigogne blanche de la Révolution socialiste congolaise, que notre camarade président comptait beaucoup sur mes camarades et sur moi-même parce que c'est grâce à nous qu'il allait réussir à développer notre pays, notre continent et les autres continents aussi, y compris les pays d'Europe même s'ils sont déjà développés, qu'ils changent trop de présidents là-bas et que malheureusement c'est leur peuple qui choisit ces présidents au lieu de laisser ce travail difficile et compliqué aux braves militaires ou bien à leur Parti Congolais du Travail à eux…

Je lève la jambe droite pour la glisser entre les fils barbelés sans me blesser, mais au moment où je décide de faire la même chose avec la jambe gauche et de sortir dans la rue, j'entends depuis la maison Tonton René qui hurle :

– Michel ! Michel ! Michel ! Où es-tu passé ?

J'ai envie de me taire, mais si je me tais mon oncle risque de s'énerver et de croire que je suis un mal éduqué. J'hésite, et j'hésite encore. S'il ne m'entend pas il croira que je suis déjà parti. Ce sera encore plus grave parce que c'est eux qui iront à ma recherche pendant que moi je serai à la recherche de Mboua Mabé. Or c'est difficile de rechercher quelqu'un qui, lui aussi, recherche quelqu'un, surtout si ce dernier quelqu'un est un animal qui passe par là où les humains sont incapables de passer. Ça veut dire que personne ne retrouvera personne.

Je ne veux pas que ma famille s'inquiète. Je ne veux pas que Tonton René se fâche pour de bon contre moi et qu'il m'interdise de visiter sa très belle maison en dur du quartier Camapon où j'ai parfois admiré sa mallette noire quand il l'ouvre en appuyant sur un bouton et sort beaucoup des papiers très importants puis corrige plein de choses avec son Bic rouge comme notre professeur de français au collège des Trois-Glorieuses alors qu'il vend des voitures au centre-ville et que pour vendre les voitures on doit plus parler qu'écrire.

Je reviens dans la parcelle, et me voici à l'intérieur de la maison. Tout le monde me regarde en silence comme si c'était à cause de moi qu'on venait de tuer le camarade président Marien Ngouabi…

C'est tout ce qu'il y avait comme manioc ?

Maman Pauline a mis sur la table une vieille nappe trouée de partout, et elle ne fait ça que si les gens sont vraiment importants. Les traces anciennes de vin rouge qu'on voit dessus ne partent plus alors que ma mère nettoie cette nappe avec de l'eau chaude et du savon Monganga fabriqué à Pointe-Noire et qui est meilleur que le savon de Marseille que les gens adorent dans cette ville. Or le savon Monganga de Pointe-Noire est plus fort que le savon de Marseille parce qu'en plus de laver proprement les habits ou les assiettes, il peut également guérir la gale.

Maman Pauline a une bonne technique pour camoufler ces taches de vin et ces trous sur la nappe : elle place les assiettes à ces endroits. Dès que quelqu'un bouge l'assiette, elle la remet là où elle était à la vitesse d'un caméléon qui attrape une mouche avec sa langue, et elle sourit à l'invité pendant que Papa Roger fait la gueule car chaque fois qu'il dit à ma mère qu'il va acheter une autre nappe, elle lui répond :

– Quoi ? Y a un problème ? Cette nappe que ma propre mère Henriette Nsoko utilisait à Louboulou te gêne dans cette maison ?

Sur notre table les verres ne sont pas identiques, mais ils sont très jolis parce que c'est la patronne du Victory Palace qui les a offerts à mon père.

– Qu'est-ce que tu foutais dehors, Michel ? me demande Tonton René. Je veux que tu restes dans la maison avec nous ! Assois-toi, je vais te présenter tes deux oncles que tu ne reconnais pas…

Tonton René est assis en face de Papa Roger et de ces deux messieurs. Au moment où je m'avance pour m'installer à côté de mon père et des deux inconnus, Tonton René me bloque le passage :

– Non, Michel, viens te mettre à côté de moi…

Je suis très content, tout à coup je deviens plus important que ces deux messieurs, je m'assois près de mon oncle, et je sens déjà son parfum agréable. Il n'y a que lui qui a un parfum de ce genre, les autres que je sens dans la rue, c'est du n'importe quoi, on dirait le *Mananas* qu'on utilise sur les cadavres pour qu'ils ne sentent pas mauvais quand ils arriveront dans le pays des décédés.

J'admire l'insigne de Tonton René qui lui permet de sortir même pendant le couvre-feu. Plus tard, moi aussi je voudrais en avoir un, je serai un membre du Parti Congolais du Travail, je porterai un costume tout blanc et je ferai des réunions avec des messieurs bizarres comme ceux de ce soir.

Papa Roger me regarde avec de gros yeux. Ça ne lui fait pas plaisir que je sois impressionné par mon oncle. Mais Tonton René c'est quand même le frère de ma mère, et les deux sont sortis du ventre de ma défunte grand-mère Henriette Nsoko qui est morte et que Maman Pauline a pleurée pendant un mois dans cette maison après que le cadavre avait été enterré là-bas au village où elle s'était rendue avec Tonton René. Tonton Mompéro aussi y était allé, et c'est lui qui avait d'ailleurs fabriqué le cercueil, si joli que les autres gens enterrés ce jour-là faisaient la gueule.

– Michel, continue mon oncle, je te présente l'oncle Jean-Pierre Kinana, il a quelques problèmes avec son dos car il a eu un accident de voiture dans sa jeunesse quand il se rendait à la Direction de l'Orientation et des Bourses pour récupérer l'original de son diplôme de Baccalauréat et préparer son voyage pour l'étranger où il devait poursuivre ses études. Un bus l'a fauché près du rond-point de la Révolution, et il a été alité pendant presque deux mois à l'Hôpital général de Brazzaville. Pour moi, Jean-Pierre est l'exemple par excellence du courage car il s'est relevé, il a pris son destin entre ses mains, il n'a pas arrêté ses études. Durant sa convalescence, et comme il n'avait pas pu voyager, il a fait un second Baccalauréat qu'il a eu avec mention, et il est allé enfin étudier l'économie à l'université Lumumba à Moscou ! Jean-Pierre Kinana est aujourd'hui conseiller auprès du ministre de l'Économie rurale.

Il s'arrête quelques secondes, regarde vers Maman Pauline, puis vers moi :

– Tu vois, Michel, que la persévérance finit par payer un jour ou l'autre ! Jean-Pierre est quelqu'un que j'apprécie beaucoup. Et puis, il faut le rappeler, depuis l'école primaire jusqu'à l'université il n'a jamais redoublé une seule classe ! En plus il est sorti major de sa promotion en URSS ! Toi aussi tu peux aller très loin dans la vie si tu arrêtes d'être distrait, d'avoir tout le temps cet air rêveur…

L'oncle Jean-Pierre Kinana remue la tête comme un margouillat. Est-ce que c'est parce qu'il est d'accord que Tonton René dise que j'ai un « air rêveur » ou alors il est flatté de n'avoir pas redoublé une classe depuis l'école primaire jusqu'à l'université ?

S'il était au courant de ce que je savais de l'URSS, il se calmerait un peu et n'afficherait pas cette figure de quelqu'un qui est fier. Il ignore que Papa Roger m'a raconté combien les études en URSS sont très faciles puisque là-bas les Africains ne redoublent pas les classes, les Soviétiques veulent que beaucoup de monde parle leur langue, surtout les Africains. Alors ils sont très gentils avec nous, et on revient au pays avec un gros diplôme alors que les vrais diplômes sont tout petits et difficiles à obtenir, comme à la pêche où c'est facile d'attraper un gros poisson alors qu'il faut se battre mille fois plus pour le tout petit qui a un meilleur goût. Est-ce que Tonton René veut dire qu'il faut que moi aussi je fasse plus tard des études très faciles à l'université Patrice-Lumumba en URSS et que je sois le premier de ma promotion comme cet oncle ?

Quand j'ai entendu ce nom de Lumumba de la bouche de Tonton René j'ai levé la tête vers mon père, et il m'a fait un clin d'œil qui signifiait que c'était bien de ce même Patrice Lumumba dont il me parlait un jour sous le manguier et de la pagaille qui s'était passée à l'époque où le Zaïre s'appelait encore Congo belge. S'il m'avait parlé de ce héros c'était surtout parce que je lui avais demandé pourquoi il y avait plein d'écoles primaires, de collèges et de lycées qui portent ce nom de Patrice Lumumba au lieu de celui du président actuel des Zaïrois, Mobutu Sese Seko Kuku Ngbendu Wa Za Banga, qui signifie quand même « Mobutu, le guerrier qui va de victoire en victoire sans que personne puisse l'arrêter ». C'est vrai que ce nom est trop long à donner à une école, à un collège ou à un lycée, c'est impossible de trouver assez de place sur la pancarte pour l'écrire en une seule ligne et dessiner aussi la tête de Mobutu Sese Seko Kuku Ngbendu Wa Za Banga avec ses grosses lunettes et son chapeau en peau de léopard. Papa Roger m'avait dévoilé que le président zaïrois avait comploté avec les Américains et les Belges pour faire tuer le héros Patrice Lumumba. Un militaire belge l'a traîné jusqu'à un arbre, un autre militaire belge a donné l'ordre à quatre Africains du Congo belge de pointer leur fusil et de tirer sur Lumumba et ses deux amis, et tout ça en présence des soldats et des ministres noirs du Congo belge qui regardaient, comme si c'était un spectacle pour se divertir et applaudir les comédiens qui viennent saluer à la fin. Après ça, les Belges ont dit qu'il fallait vite faire disparaître les trois corps sans quoi il y aurait trop de problèmes parce que l'Afrique et le monde entier savent que c'est Lumumba qui avait beaucoup lutté pour que le Congo belge devienne indépendant. Eh bien, ils ont fait de la boucherie, et tchap ! tchap ! tchap ! ils ont découpé les corps en morceaux de viande qu'ils ont jetés dans un tonneau rempli d'acide pour les dissoudre. C'est donc à cause de ça que jusqu'aujourd'hui personne ne sait où se trouvent exactement les corps de Lumumba et ses amis. Moi j'avais dit à Papa Roger que je ne voyais pas pourquoi on accusait le président Mobutu Sese Seko Kuku Ngbendu Wa Za Banga d'avoir comploté dans cette boucherie alors que ce n'était pas lui le boucher. Mon père était content de ma remarque qu'il attendait, et il a tourné en rond dans l'histoire du Zaïre qui est plus compliquée qu'une toile d'araignée :

— Michel, quand le Congo belge est devenu indépendant en juin 1960, on a nommé Joseph Kasa-Vubu président de la République, et Lumumba Premier ministre de ce pays désormais libre et plus du tout géré par les Belges. Tu ne peux pas savoir comment ce moment-là nous a tous touchés. Même dans notre pays qu'on appelait encore le Congo français, on dansait la rumba avec la chanson *Indépendance cha-cha* de leur musicien Grand Kallé qui célébrait cette belle victoire. Mais le malheur se cache toujours derrière la porte du bonheur : quelques mois après l'indépendance, celui qu'on appelait encore Joseph Désiré Mobutu, journaliste, chef d'état-major et membre du gouvernement de Lumumba, a pris le pouvoir de force ! On ne comprenait plus rien parce qu'on croyait que Lumumba et Mobutu étaient des proches. Hélas, avec la complicité de l'ambassadeur de la Belgique, ce Mobutu a d'abord mis Patrice Lumumba en résidence surveillée à Kinshasa, puis il l'a transféré dans la région du Katanga. Et si on l'avait mis là-bas où il était détesté par les hommes de Moïse Tshombe, le président de l'État du Katanga, un territoire du Congo belge qui voulait son indépendance, c'était pour l'éliminer sans laisser de traces et...

Là, j'avais coupé mon père même s'il n'aime pas ça et me demande chaque fois de le laisser finir sa phrase :

– Pourquoi pas le tuer à Kinshasa ?

– C'est vrai, pourquoi pas ? Mais le problème c'est que tous ceux qui l'aimaient à Kinshasa avaient pris les armes pour le libérer ! C'était la confusion, même les autres prisonniers étaient en colère et derrière le héros de l'indépendance. Ils voulaient libérer Lumumba, l'installer au pouvoir à la place de Mobutu. Donc, le tuer à Kinshasa faisait courir le risque d'une grande pagaille. En le transférant dans l'État du Katanga où on le détestait parce que ses hommes menaient la vie dure au régime en place là-bas, on l'envoyait directement au cimetière, et on laissait planer les soupçons sur Moïse Tshombe...

Après les explications de Papa Roger, j'ai commencé à beaucoup aimer Lumumba. Il ne voulait pas que nos deux Congo soient séparés en deux pays, ce sont les

Blancs et leurs complices noirs qui avaient décidé à notre place. Si on nous avait demandé notre pensée du fond du cœur, on aurait tous dit à haute voix que nous voulions rester un seul pays, un seul peuple, avec un seul camarade président de la République et sans les complots des Belges, des Américains et de leurs complices africains qui aiment trop assassiner les héros noirs et dissoudre leur corps dans l'acide.

— Mais qu'est-ce qui se passe dans ta tête, Michel ? Tu rêvais encore pendant que je parlais ?

C'est Tonton René qui vient de me donner un coup de coude, et il continue ses présentations :

— L'homme qui est assis à côté de ton oncle Jean-Pierre Kinana est aussi ton oncle, et il s'appelle Martin Moubéri. Sa mère était la neuvième épouse de mon père Grégoire Massengo, ton grand-père maternel. Martin Moubéri est le chef du personnel de la Caisse Nationale de Prévoyance Sociale, dont le siège est à Brazzaville. Il est le petit frère direct de Luc Kimbouala-Nkaya, ton autre oncle qui est capitaine à Brazzaville dans l'Armée Nationale Populaire.

Je fais semblant d'être content : je remue la tête pendant tout le temps que durent ces explications. L'oncle Martin Moubéri me fixe dans les yeux pour savoir si je suis impressionné. Moi je lui demande :

— C'est quoi, concrètement, le travail du chef du personnel de la Caisse Nationale de Prévoyance Sociale ?

Il se frotte les mains et serre sa cravate pour être beau :

— Très bonne question, neveu ! Mais je ne voudrais pas monopoliser la parole et la consacrer à l'éloge de ma personne ô combien modeste en face d'illustres aînés de la trempe de René et Jean-Pierre, mais aussi du beau-frère Roger…

L'oncle Kinana le force à parler :

– Vas-y, Martin, tu es un modèle pour notre famille, et je te l'ai souvent dit : ta modestie te tuera un jour !

– Bon, puisque vous insistez tous, je n'ai pas le choix, en tout cas je ne serai pas long…

Il se penche vers moi :

– En fait, Michel, j'embauche, je vire et je gère aussi les conflits du personnel.

– C'est tout ?

– Comment ça, c'est tout ?

– Parce que, pour embaucher ou virer les gens, Papa Roger m'a dit qu'on envoie seulement une lettre et…

– Tu te rends compte de ce que tu dis, neveu ? Vraiment, vous les enfants d'aujourd'hui, qu'est-ce que vous êtes impolis !

L'oncle Kinana le calme :

– C'est pas grave, Martin…

L'oncle Moubéri avance encore son visage vers moi :

– Toi tu crois que c'est facile, un travail comme le mien, hein ? C'est pas donné à n'importe qui ! Ma profession n'est pas facile, mon petit ! Tout est politique, et chaque décision que je prends doit être d'une intelligence absolue, j'allais dire plus que parfaite ! Dès que je vire quelqu'un, le lendemain j'ai un coup de fil d'un ministre qui ne me dit pas clairement ce qu'il veut, mais il me demande en douce depuis combien d'années je suis dans la fonction publique, il fait semblant de me féliciter et me charge de saluer untel qui bosse dans mon service. Or tu sais qui est cet untel qu'il me charge de saluer, hein ? Eh bien, c'est son neveu ! Et c'est le même type que j'ai viré la veille. Moi je fais quoi alors ? Je convoque de nouveau dans mon bureau la personne que j'ai virée pour m'excuser, puis je lui explique que c'était une erreur de ma part et que son oncle qui est ministre lui passe le bonjour ! C'est pas si simple, petit… Ce que je veux dire c'est que mon poste est stratégique, et pour durer il faut aussi de la stratégie. La mienne c'est celle de l'escargot : je donne l'impression que je patauge dans ma bave, mais j'avance quand même… Bon, je me suis emporté, je m'excuse… Je vais t'expliquer ça d'une autre manière… En fait je suis vraiment une des personnes les plus respectées de la Caisse Nationale de Prévoyance Sociale. Les gens sont intimidés dès qu'ils arrivent devant mon bureau, peut-être à cause de la moquette rouge que j'ai personnellement choisie et fait installer. Les murs sont peints en bleu ciel – ce qui me décontracte parce que ce n'est pas facile d'avoir comme métier d'embaucher les gens qu'il faut au poste qu'il faut, mais aussi d'être celui qui annonce aux pères ou aux mères de famille qu'ils ne feront plus partie de la maison. Dans un cas comme dans l'autre, un chef du personnel sera très mal vu. On lui reprochera d'un côté de ne pas avoir embauché telle ou telle personne qui était la meilleure ; et, de l'autre, on lui gardera une dent parce qu'il aura viré tel ou tel individu qui a six femmes, vingt-quatre enfants à nourrir et à scolariser, des frais d'enterrement à payer, un crédit immobilier à rembourser, et que sais-je encore…

Je l'écoute d'une seule oreille parce que je comprends maintenant que cet oncle-là est un vantard.

Maman Pauline n'est plus avec nous à table.

À quel moment s'est-elle éclipsée ? Sans doute quand dans mes pensées je revoyais le héros Patrice Lumumba.

Elle est peut-être dehors, dans la cuisine. Ou alors, au lieu de m'envoyer faire une course, elle est allée elle-même acheter de la boisson chez nos voisins de derrière, les Boko Songo, qui ont une buvette de dépannage. Si elle m'avait demandé de le faire, j'en aurais profité pour partir à la recherche de Mboua Mabé.

Chez les Boko Songo ce n'est pas une vraie buvette, c'est juste un congélateur qui est dans leur salon, et les gens vont se dépanner là-bas quand ils n'ont pas envie de marcher jusqu'à la boutique *Au cas par cas*. Chaque fois que je me rends là-bas, Monsieur Boko Songo se moque de moi car autrefois, depuis notre arbre, j'espionnais ce qui se passait dans leur parcelle. Mais ça c'était il y a longtemps, quand j'avais encore six ou sept ans. Papa Roger m'avait interdit de monter sur l'arbre, il savait que j'épiais Pélagie, la seule fille des trois enfants de la famille Boko Songo, quand elle allait dans leurs toilettes qui, comme chez nous, n'ont pas de toit, donc on peut facilement voir la forme de la nudité des gens. Si Pélagie avait un jour compris mon jeu, c'est parce qu'elle avait levé la tête à cause d'une mangue qui était tombée près d'elle au moment où je voulais changer de branche pour mieux voir car des feuilles me barraient la vue. Elle a crié comme si une abeille l'avait piquée, puis elle est directement allée dire ça à son père qui, lui, est allé directement dire ça à Maman Pauline qui, elle, est allée dire ça directement à Papa Roger. Ça a mal fini pour moi puisque le soir je n'ai pas eu droit au repas, même si mon père m'a donné en cachette un gros morceau de viande et du manioc que j'ai mangés dans mon lit, sous le drap...

Ma mère réapparaît au salon avec deux bouteilles de vin et un jus de pamplemousse. Tout ça vient de chez les

Boko Songo, je ne peux pas me tromper car je vois les pépins nager dans mon verre, et c'est toujours comme ça dans leur buvette, ils veulent montrer que leur jus de pamplemousse n'est pas comme celui des canettes ou des bouteilles, que c'est fait par eux-mêmes.

Maman Pauline passe derrière Tonton René, elle place les assiettes là où il faut dans le but de bien camoufler les trous et les taches de vin sur la nappe. L'heure de manger va arriver, et moi je n'oublie pas que je dois surveiller la bouche en ventouse de l'oncle Moubéri.

– Pauline, ne t'embête pas, nous on a déjà mangé, et on n'est pas venus pour ça, dit Tonton René.

J'ai envie de sauter de joie, je me calme et prends l'air de celui qui est très déçu que ces deux oncles, et surtout l'oncle Martin Moubéri, ne mangent pas avec nous.

Maman Pauline est vexée :

– René, excuse-moi, mais vous allez manger ici ! Et vous avez déjà mangé où, si c'est pas indiscret ?

Tonton René regarde tour à tour les autres oncles :

– Tes deux frères sont arrivés par l'avion qui a décollé de Brazzaville il y a quatre heures. Sans les bras longs de ton frère Jean-Pierre Kinana, ils n'auraient pas eu les deux places puisque tout le monde cherche à s'éloigner de la capitale depuis hier. Donc, dès que je les ai pris à l'aéroport, on est allés directement casser la croûte…

L'oncle Martin Moubéri confirme :

– Oui, ma sœur, en tout cas René nous a gâtés au restaurant de l'hôtel Atlantic Palace ! On a mangé du caviar, du saumon, sans compter qu'après ça on a fini avec une dinde entière !…

Tonton René le regarde méchamment, on dirait que cet oncle vient de dévoiler quelque chose qui devait rester secret entre eux trois car dans notre maison on ne mange pas du caviar ou du saumon, ça c'est la nourriture des Blancs et des capitalistes noirs qui ne savent pas que le plat de porc aux bananes plantain c'est mille fois plus appétissant, et en plus on rote mieux que si c'était du poisson qui vous donne faim deux heures après comme si ce n'était qu'un amusement de la gueule.

L'oncle Moubéri, je le dis encore, est un vantard parce qu'après la moquette rouge de son bureau aux murs peints en bleu ciel, c'est maintenant le caviar, le saumon et une dinde entière à la fin, comme si la dinde était un dessert.

Il caresse son gros ventre de gens qui mangent trop le saumon et le caviar :

– Ma sœur, je te jure qu'il n'y a plus une petite place là-dedans…

– Moubéri, tu trouveras de la place ! Est-ce que moi j'ai préparé tout ça pour rien ?

L'oncle Jean-Pierre Kinana fait des signes à l'oncle Moubéri pour qu'il se taise, et celui-ci change brusquement d'avis :

– Bon, ma sœur, si tu y tiens je ferai des efforts, mais je ne prendrai que deux ou trois cuillerées. Un tout petit morceau de manioc et du piment me suffiront, c'est pas possible au-delà…

Je regarde encore de près ces deux oncles venus de Brazzaville, et je comprends pourquoi ils portent des vestes de pingouins perdus : c'est parce que les gens qui voyagent en avion doivent être propres sinon ils vont salir les sièges. Je les envie car moi Michel je ne sais pas comment ça se passe là-haut et si, quand on est assis, on peut ouvrir la fenêtre, apercevoir les cigognes qui volent à côté, elles aussi, à la recherche des endroits où il fait chaud. Et je me dis également que l'avion c'est quand même rapide parce que le camarade président Marien Ngouabi a été tué hier, et les deux oncles-là se retrouvent aujourd'hui à Pointe-Noire alors que s'ils avaient pris la micheline ils seraient arrivés après-demain à cause des déraillements et des conducteurs qui ont des femmes dans chaque gare et qui doivent tout le temps s'arrêter pour manger un peu et faire beaucoup d'autres choses que je ne peux pas détailler ici sinon on va encore dire que moi Michel j'exagère toujours et que parfois je suis impoli sans le savoir. C'est encore très magique parce que, si je comprends bien, ils ont pris l'avion aujourd'hui et ils sont aussi arrivés aujourd'hui, puis Tonton René est allé les chercher, ils sont allés au restaurant de l'hôtel Atlantic Palace, ils ont commandé le saumon, le caviar et une dinde entière en dessert, et tout cela en moins de quatre heures. L'avion c'est vraiment l'avion !

Maman Pauline ramène une grosse assiette et la dépose sur la table. Dedans il y a de la morue à la sauce d'arachide, et ça sent très bon. Elle apporte une autre assiette dans laquelle elle a découpé plusieurs morceaux de manioc. Même le piment est si rouge et si beau que si tu n'es pas prudent tu vas le manger dans la précipitation sans le mélanger d'abord avec du poisson et du manioc.

Tonton René se sert en premier, suivi de l'oncle Jean-Pierre Kinana, puis de l'oncle Martin Moubéri qui ne prend que deux cuillerées comme il nous a promis, avec un morceau de manioc et un piment rouge.

Ma mère dit qu'elle n'a pas faim car quand on prépare, à force de sentir la nourriture, on n'a plus envie de la manger puisqu'on l'a déjà trop mangée avec les yeux.

C'est au tour de Papa Roger de se servir, et lui ne s'embête pas, il remplit son assiette parce que son ventre n'a pas oublié que nous n'avons rien mis dans la bouche depuis que notre plat de l'après-midi a été avalé en bonne partie par Mboua Mabé.

Je me sers comme Papa Roger, et je ne perds pas de temps : je mets la première cuillère dans la bouche. C'est tellement bon que je ferme les yeux. Tout mon corps tremble, il a peur qu'il n'y ait pas assez de nourriture pour satisfaire le cœur, le foie, le pancréas, l'intestin grêle et tout ce qu'on nous avait appris à l'école primaire pendant les leçons de sciences naturelles. Je me calme, je n'ai pas à m'inquiéter puisque Tonton René et les deux autres oncles ont mangé leur caviar, leur saumon et leur dinde entière en dessert à l'hôtel Atlantic Palace. Ils ne vont pas aller loin, ils ne mangent que pour faire plaisir à Maman Pauline, pas à leur estomac qui est fâché de passer de la nourriture des capitalistes noirs à la nourriture des quartiers populaires.

Ma mère est près de moi. Je suis encadré par elle et Tonton René, qui ne mange que la moitié de ce que j'ai dans mon assiette.

L'oncle Kinana aussi n'en a pris qu'un tout petit peu, et l'oncle Martin Moubéri lui, c'est presque du crachat de bébé qu'il va grignoter, et d'un seul coup il a tout balancé dans sa bouche en ventouse. Ses mâchoires bougent, elles bougent et bougent encore. Il ferme comme moi les yeux parce qu'il vient de constater que cette nourriture-là c'est mieux que le caviar, le saumon et la dinde entière en dessert à l'hôtel Atlantic Palace. Alors, il reprend deux autres cuillerées, puis trois autres, puis quatre autres. Quand il attrape un morceau de manioc, ça disparaît comme par magie. Au bout d'un moment je me rends compte que chacun des deux oncles s'est servi plusieurs fois, et qu'il n'y a plus de manioc dans la grosse assiette. L'oncle Martin Moubéri, qui ne voulait pas manger au départ, demande à ma mère :

– Dis donc, Pauline, c'est tout ce qu'il y avait comme manioc ?

L'abbé polygame

On mange depuis bientôt une heure. Plus le temps passe, plus Tonton René est agité. Je sens qu'il veut nous dire quelque chose de très important et craint de couper notre appétit. Comme personne ne parle, nous entendons les bruits des fourchettes, des cuillères qui cognent contre les assiettes ou alors la bouche en ventouse de l'oncle Moubéri qui fait tchap ! tchap ! tchap !

Je ne sais pas ce qui me pique tout à coup, je demande à mon oncle :

– Tonton, est-ce que ce sont les Nordistes ou bien les Sudistes qui ont assassiné le camarade président Marien Ngouabi ?

Maman Pauline me pince très fort la jambe sous la table. Tonton René a tout vu :

– Pauline, c'est normal qu'il pose ce genre de question. Tout le monde se la pose dans le pays actuellement…

Il se redresse, touche son insigne de membre du Parti Congolais du Travail, soulève son verre de vin et mouille juste ses lèvres avant de vite le reposer :

– Les choses ne sont pas aussi carrées que ça, Michel… Pourquoi tu penses que ce sont les Nordistes qui viennent de tuer notre président ?

– C'est maman qui l'a dit au moment où on a entendu la mauvaise nouvelle à la radio…

Tout le monde se tourne vers Maman Pauline pendant que je continue :

– Elle a aussi dit que les Nordistes, surtout les Mbochis, sont rarement intelligents comme nous, ils ne sont pas des gens normaux, ils sont méchants et, depuis leur naissance, leurs parents leur disent de vite devenir des militaires pour tuer les Sudistes et les présidents de la République qui ne sont pas nordistes. En plus de ça, je…

Maman Pauline me donne un coup de genou sous la table. Tonton René a encore vu ce geste :

– C'est quoi d'ailleurs les « gens normaux », Michel ? Je suis sûr que tu as mal interprété la pensée de Pauline. Je connais ma sœur, elle n'est pas quelqu'un qui a de la haine. D'ailleurs, dans notre famille, c'est la seule qui parle une des langues du Nord, le mbochi ! Et je peux te garantir que ce n'est pas facile, cette langue…

Il n'arrête plus de flatter Maman Pauline qui vient de croiser ses bras pour nous montrer qu'elle est vraiment fâchée parce que je l'ai trahie.

– Dans ce pays on a tout connu, Michel…

Et le voilà qui commence à parler de l'époque ancienne, quand les Français nous ont colonisés, puis quand ces mêmes Français ont décidé que ce serait un abbé polygame, Fulbert Youlou, un Lari, donc un Sudiste, qui serait notre Premier ministre. Dans ces années 1950 il n'y avait pas encore de poste de président de la République, l'abbé polygame n'était que Premier ministre. Tonton René explique encore qu'on avait indirectement viré le Nordiste Jacques Opangault. Ce dernier avait le titre de « vice-président du Conseil gouvernemental » donné par les Français qui remplaçaient donc un Nordiste par un Sudiste, et c'est comme ça que certains l'avaient perçu, surtout les Nordistes. L'abbé polygame était devenu quelqu'un qui menait la grande vie, comme s'il n'était plus un représentant de Dieu, même ses soutanes étaient cousues par les grands couturiers d'Europe. Ses quatre épouses étaient les femmes officielles, mais dans tout le pays on racontait qu'il avait des maîtresses à gauche et à droite. Tonton René ajoute que l'abbé polygame avait emprisonné le Nordiste Jacques Opangault avant de le relâcher quelques mois plus tard, qu'il s'était aussi donné tous les pouvoirs qui lui avaient permis de changer notre Constitution et de virer les membres de notre Assemblée nationale pour se faire élire comme premier président de notre pays, en 1959…

Plus je l'écoute, plus je me dis que c'est peut-être comme ça que Tonton René parle chaque dimanche aux nouveaux membres du Parti Congolais du Travail, à l'École du Parti qui est située dans le quartier Mouyondzi. Quand certains vont à l'église, mon oncle se rend dans ce vieux bâtiment qui était autrefois une savonnerie, et c'est là-dedans qu'il apprend aux débutants comment être des membres du Parti qui connaissent l'histoire de notre pays. Les élèves des écoles de Pointe-Noire sont obligés d'aller visiter cette École du Parti avec leurs maîtres, ça fait partie du cours d'instruction civique. À l'intérieur, sur les murs il y a des photos en noir et blanc de Lénine, de Karl Marx, d'Engels, de Mao Tsétoung, de Staline, de Fidel Castro, de Leonid Brejnev, du maréchal Tito et du camarade Nicolae Ceauşescu. Mais la plus belle de toutes ces photos, c'est celle du camarade président Marien Ngouabi habillé en tenue de para-commando et entouré de gens qui le félicitent parce qu'il a réussi à sauter de l'avion militaire sans se casser les jambes.

– Michel, tu rêves, tu es le seul à ne plus me suivre…

Je me redresse, en effet tout le monde me regarde, et Tonton René poursuit sans se vexer :

– L'abbé polygame peu à peu s'est embourgeoisé, il avait le goût du luxe, des belles villas, il s'enrichissait personnellement pendant que le peuple congolais se nourrissait de chenilles et de vers de terre ! Dès qu'il y avait des grèves, il emprisonnait les syndicalistes, comme ces journées des 13, 14 et 15 août 1963, nos « Trois Glorieuses » comme on dit, avec des manifestations que le président-abbé a contrecarrées par des emprisonnements, mais le peuple se dirigeait maintenant vers la Maison d'arrêt pour libérer les pauvres prisonniers. C'était cuit pour l'abbé polygame, on ne voulait plus de lui et de son gouvernement. Il a dû s'enfuir et mourir en exil en Europe…

L'oncle Jean-Pierre Kinana toussote et prend la parole :

– Grand frère René, sans vouloir te couper, c'est tout de même sous le régime d'Alphonse Massamba-Débat qui venait de remplacer l'abbé polygame que notre pays a connu les premiers assassinats politiques ! On a tué par exemple le procureur Lazare Matsocota qui était un cousin de l'abbé polygame !

– Exactement, Jean-Pierre ! Pourquoi ils l'ont tué ? Parce qu'il avait refusé le poste de ministre de la Justice que lui proposait le président Massamba-Débat ? Ou alors parce qu'il était perçu comme celui qui aurait été le successeur naturel de son oncle, l'abbé polygame ? J'ai connu le procureur Lazare Matsocota, je l'ai croisé en Europe quand il faisait ses études de droit pendant que je suivais un stage à l'École polytechnique de vente de Paris. Matsocota était alors le président de l'Association des Étudiants Congolais de France, un homme brillant, tellement éloquent que lorsqu'il parlait j'oubliais ce que j'avais à faire dans la journée pour rester à l'écouter comme un élève. Ils l'ont tué, mon petit ! Comme un rat ! Comme une punaise qu'on écrase ! Sauf que ces bestioles sont nuisibles, alors que je n'avais jamais vu autant d'humanité chez un être que chez ce Lazare Matsocota. La milice du régime de Massamba-Débat est venue le kidnapper chez lui à Brazzaville, et il ne fut pas le seul à être assassiné dans cette nuit du 14 au 15 février 1965 : deux autres de nos cadres, l'ancien prêtre et directeur de l'Agence Congolaise d'Information, Anselme Massouémé, et le tout premier président de la Cour Suprême du Congo, Joseph Pouabou, ont été également exécutés sous prétexte qu'ils préparaient un complot contre le pouvoir en place. C'est ça qu'on appelle faire de la politique, Jean-Pierre ? Non, non et non !...

Comme il a l'air d'être très en colère, les deux autres oncles feignent aussi d'être en colère avec lui. Moi je ne vois toujours pas pourquoi il nous parle de ces présidents du passé au lieu de nous parler du camarade président Marien Ngouabi. Tonton René aurait pu être un magicien, je sursaute quand il me répond alors que rien n'était sorti de ma bouche :

– Et c'est là, Michel, que le camarade président Marien Ngouabi entre en jeu… C'est un Nordiste, il est jeune, il est vif, dynamique, fraîchement sorti de l'École militaire de Saint-Cyr, c'est un membre du même parti politique que le Sudiste Massamba-Débat, mais il veut bousculer la manière de faire la politique chez nous. Ngouabi, qui est alors capitaine dans notre armée, n'est pas en accord avec la politique que mène le chef de l'État Massamba-Débat. Celui-ci le mute à Pointe-Noire, mais le capitaine refuse et il est

immédiatement emprisonné, puis rétrogradé comme soldat de première classe ! Eh bien, comme à l'époque
où, au Congo belge, les partisans de Patrice Lumumba
s'étaient révoltés contre l'arrestation de leur leader, chez
nous aussi les Nordistes et beaucoup de militaires se sont
révoltés pour signifier que si on ne libérait pas Marien
Ngouabi, le pays serait à feu et à sang. Le président
Massamba-Débat est contraint de rendre la liberté au
soldat Marien Ngouabi qui redevient capitaine comme
avant. Or lorsque quelqu'un suscite un tel engouement
populaire, le peuple l'imagine forcément en homme pro-
videntiel. Et Marien Ngouabi est déjà prêt pour prendre
la direction du pays. Massamba-Débat l'emprisonne
une fois de plus parce qu'il parle trop, parce qu'il
dit ce qu'il pense. Cette fois-ci il sera libéré par des
para-commandos avec d'autres prisonniers politiques.
Pendant ce temps, le président fait face à la colère des
Lari, son propre groupe ethnique, dont certains estiment
que l'abbé Fulbert Youlou était meilleur que lui, et nous
voilà partis pour une autre guerre civile…

Pendant qu'il parle, je l'écoute d'un côté, mais de
l'autre côté je me repose la même question : Est-ce qu'il
est vraiment venu avec ces deux oncles que je ne connaissais pas juste pour raconter ces choses qui se sont passées
quand je n'étais pas né et qui n'ont pas de rapport avec
la mort du camarade président Marien Ngouabi ?

Une fois de plus, comme un magicien, Tonton René
me répond :

– Michel, tu verras dans quelques minutes que tout
ce que j'ai raconté jusqu'à présent a un lien direct avec
ce que nous vivons aujourd'hui… Donc, le président
Massamba-Débat était de plus en plus dans le pétrin avec
son groupe ethnique. Il avait aussi perdu la confiance de
l'armée, avec même une défection de son commandant

de la Défense civile. Malgré ses manœuvres pour essayer de sauver la situation, notamment par la formation d'un nouveau gouvernement, Massamba-Débat n'était plus qu'un fruit avarié à la merci de n'importe quel vent. Et ce vent s'appelle Marien Ngouabi qui est devenu puissant au sein du Mouvement National de la Révolution et du Conseil National de la Révolution. Le président est alors contraint à la démission, mais le jeune Ngouabi le rappelle dans ses fonctions avec la formation d'un nouveau gouvernement dont la plupart des membres sont des militaires. Marien Ngouabi dirigeant lui-même le Conseil National de la Révolution, le coup d'État qu'il a en tête se fait en douceur : le 4 septembre 1968, le président Massamba-Débat est carrément écarté, le Premier ministre Alfred Raoul prend la transition jusqu'au 1er janvier 1969. Personne n'est dupe, on sait que l'heure de Marien Ngouabi est arrivée, et c'est lui qui deviendra notre nouveau président de la République. Il créera le parti auquel j'ai adhéré il y a sept mois, le Parti Congolais du Travail. C'est Marien Ngouabi qui a changé notre hymne, notre drapeau et qui nous a proposé la voie du socialisme scientifique que nous suivons jusqu'aujourd'hui…

Maman Pauline réapparaît devant la porte avec une assiette remplie de morceaux d'ananas. Elle la dépose au milieu de la table :

– Ce n'est pas fini, la politique ? Bon, moi je vais dehors…

Tonton René la retient par le bras :

– Non, Pauline, je te conseille de t'asseoir avec nous parce que ce que je vais dire maintenant est une très mauvaise nouvelle, très très mauvaise pour notre propre famille…

La liste

Maman Pauline, Papa Roger et moi-même, nous sommes très inquiets. Qu'est-ce que mon oncle entend par « une très très mauvaise nouvelle pour notre propre famille » ?

Ma mère demande à Tonton René :

– Tu as de sérieux problèmes avec les gens de la politique ? Je t'avais pourtant prévenu qu'il ne fallait pas être membre du Parti ! Tu vois ce qui t'arrive !

– Nous avons des problèmes, Pauline...

– Comment ça, « nous » ? Est-ce que nous sommes dans leur politique, nous ?

– Pauline, je laisse la parole à Kinana et à Moubéri...

L'oncle Moubéri commence :

– Ma sœur, on a dû fuir comme des rats quand on a entendu les coups de feu hier à 14 h 30... Je me souviens que j'étais dans mon bureau en train de préparer un rapport sur le départ à la retraite de deux cadres, et soudain, tatatata ! tatatata ! tatatata ! tatatata ! C'étaient des rafales d'armes automatiques qui provenaient du côté de l'état-major, à moins de cinq cents mètres de notre immeuble de la Caisse Nationale de Prévoyance Sociale. Tout le monde savait que le président résidait dans cet état-major depuis huit ans, donc tu peux imaginer l'affolement dans les parages : les élèves du lycée

121

Patrice-Lumumba qui est tout proche se ruaient hors des salles de classe, les sirènes de véhicules de police retentissaient de partout, les taxis roulaient à tombeau ouvert pour s'éloigner des environs, les commerçants fermaient leur boutique les uns après les autres, bref, toute la population allait à gauche et à droite, puis à droite et à gauche, mais personne ne comprenait ce qui s'était réellement passé. Après presque un quart d'heure qui ressemblait à une éternité, c'était le silence, oui le silence total, Pauline ! La radio avait interrompu ses programmes sans fournir aucune explication, parce que, qu'est-ce qu'elle allait raconter sans avoir reçu de consignes, hein ? Les gens s'étaient attroupés à chaque étage de notre immeuble et regardaient par les fenêtres en direction de l'état-major. On entendait des rumeurs, certaines rapportant que les Zaïrois venaient de lancer un assaut contre notre armée et qu'il fallait qu'on se prépare pour contre-attaquer avec des armes que le gouvernement allait nous fournir. C'est à ce moment-là que je suis vite reparti dans mon bureau et j'ai appelé le frère Kinana au ministère de l'Économie rurale pour lui annoncer que quelque chose de grave s'était passé et qu'il nous fallait quitter la ville au plus vite…

L'oncle Kinana prend à son tour la parole :

– En effet, sœur Pauline, beau-frère Roger, quand Moubéri m'a téléphoné j'étais déjà au courant car le ministre de l'Économie rurale avait vite quitté le ministère, mais au lieu de prendre le véhicule officiel, il a trompé la vigilance de ses chauffeurs et de ses gardes du corps en s'habillant de façon ordinaire, avec un chapeau de paille qui le rendait méconnaissable, puis il s'est engouffré dans une voiture banalisée qui l'attendait juste en face du ministère. Dans sa précipitation il avait oublié sa mallette dans le bureau. Il avait vraiment l'air très angoissé parce qu'il ne nous a laissé aucune instruction précise, à nous autres ses conseillers en qui il avait confiance. Mon collègue Prosper Okokima-Motaka, un Nordiste chargé de son protocole, a fait irruption dans mon bureau et m'a dit, je le cite mot pour mot : « Qu'est-ce que tu fous encore ici, Jean-Pierre ? C'est fini pour Marien Ngouabi, ils ont eu sa peau ! Et ça ne va pas s'arrêter là, les choses vont se dégrader à partir de maintenant. Tu es un homme loyal, je t'ai toujours apprécié, mais si j'étais sudiste et loyal comme toi, je ne resterais pas une minute de plus à Brazzaville. » Je lui ai demandé ce qu'il fallait que je fasse, et là j'ai vu qu'il avait entre ses mains la mallette que le ministre avait oubliée dans son bureau. Il l'a ouverte et m'a dit : « Il y a là-dedans des documents qui me laissent penser que quelqu'un de ta famille va avoir des pépins, et la sagesse nous apprend que lorsqu'on coupe les oreilles, le cou devrait s'inquiéter. » Il a observé un moment de silence avant de m'accorder une faveur que je lui devrai toute ma vie. Il a dit : « Va dans le Sud immédiatement, Jean-Pierre. Je peux te mettre dans un avion qui part demain pour Pointe-Noire. Après, tu n'auras plus le choix : ce sera le dernier à décoller de Brazzaville à cause du couvre-feu qui imposera la fermeture totale de nos frontières et l'interdiction de survoler le territoire. Je peux t'offrir les deux billets que j'allais utiliser pour mes prochains déplacements, et je crois savoir que cela ne te posera pas de problème puisque tu n'es pas marié et que tu n'as pas d'enfants… » C'est à ce moment-là que mon téléphone a sonné : c'était l'aîné Moubéri au bout du fil…

L'oncle Martin Moubéri reprend la parole :

— Oui, donc après ce coup de fil au petit frère Jean-Pierre, j'ai aussitôt appelé chez moi pour dire à ma femme et à ma fille de quitter la maison, de tout laisser, d'aller se planquer plus loin, chez les Singoumouna, une famille de Lari que j'ai beaucoup aidée puisque c'est moi qui avais embauché le père, puis le fils, à la Caisse Nationale de Prévoyance Sociale. De là-bas, cette famille les a mises dans un camion qui a traversé toute la région du Pool et, au moment où je vous parle, elles ont déjà gagné notre propre région de la Bouenza où elles seront en sécurité chez notre sœur Dorothée Louhounou. Après ces instructions à ma famille, j'ai appelé le frère René pour lui annoncer que nous arriverions le lendemain à Pointe-Noire, et il est venu nous accueillir à l'aéroport...

Maman Pauline pose ses coudes sur la table et retient sa tête dans ses mains comme si cette histoire la fatiguait :

– René, en quoi ça nous concerne, nous, comme tu as dit ?

Tonton René regarde vers la porte et baisse la voix :

– Pauline, nous avons de sérieux problèmes dans notre famille à cause de cet assassinat. Il y a eu aujourd'hui plusieurs arrestations de militaires et de civils originaires du sud du pays. Ils vont être traduits devant une cour martiale instituée par le Comité Militaire du Parti, le nouvel organe de direction de l'État. Même l'ancien président de la République, Alphonse Massamba-Débat, fait partie de ceux qui seront jugés devant cette cour. Dès demain on saura la composition du Comité Militaire du Parti, mais les noms des onze membres circulent déjà dans tout Brazzaville. C'est donc une dictature militaire qui se met petit à petit en place, et elle éliminera systématiquement ceux qui sont susceptibles de parler parce qu'ils savent quelque chose de cet assassinat dont beaucoup disent qu'il ne faut pas aller chercher très loin puisque les comploteurs et les assassins sont parmi ces onze membres du Comité Militaire du Parti…

Maman Pauline, Papa Roger et moi-même ne voyons toujours pas où mon oncle veut en venir. Ma mère ne travaille pas pour l'État, et elle n'est pas militaire. Mon père ne travaille pas pour l'État, mais pour Madame Ginette, et Madame Ginette est une Blanche qui ne cherche pas de problèmes aux gens, elle ne fait pas de politique.

Tonton René poursuit :

– J'ai une photocopie du document qui se trouvait dans la mallette oubliée par le ministre de l'Économie rurale lors de sa fuite, il est écrit que le Comité Militaire du Parti « va fidèlement continuer l'œuvre de l'Immortel Marien Ngouabi, guide de la Révolution congolaise, qui est la construction d'une société socialiste au Congo, selon les principes du marxisme-léninisme ». C'est du bla-bla ! On sait comment ça va finir : les membres du Comité Militaire du Parti vont se massacrer entre eux, les uns mettront les autres en prison ou les assassineront sans laisser de traces, et ce sera le plus malin de tous qui prendra le pouvoir pour s'y installer à vie…

Il s'adresse maintenant à l'oncle Kinana :

– Jean-Pierre, toi qui es dans les coulisses des ministères, explique-leur un peu comment ce Comité Militaire est constitutionnellement illégal…

– Oui, cher grand frère René ! Je tiens à confirmer que c'est grâce à mon ami et collègue Prosper Okokima-Motaka, le Nordiste chargé du protocole de notre ministre, que j'ai eu accès à ces documents qui, d'ailleurs, ont circulé sous le manteau dans nos bureaux la journée d'hier. Tout laisse à penser que notre ministre, qui est quand même le cousin de l'un des membres du Comité Militaire du Parti, a été pris de court et ne savait pas que les choses allaient se dérouler aussi vite. En gros, cher beau-frère Roger, ma sœur Pauline, et toi mon neveu Michel, ce Comité Militaire du Parti est un organe illégal, il va à l'encontre de notre Constitution. Il ne pouvait pas prétendre assurer la transition politique puisque l'article 40 de cette loi suprême prévoit qu'en cas de vacance du pouvoir, et c'est le cas depuis hier, c'est le président de l'Assemblée nationale qui assure l'intérim. Il faut des élections démocratiques pour élire un nouveau président dans les trois mois qui suivent cette vacance de pouvoir. Mais là nous sommes, comme l'a souligné l'aîné René, en présence d'une junte militaire qui vient de faire un coup d'État…

Papa Roger n'attend pas qu'on lui donne la parole, il coupe l'oncle Kinana :

– Mais c'est qui, les onze membres de ce Comité Militaire du Parti ? La Voix de la Révolution Congolaise n'a encore rien dit, en tout cas jusqu'au moment où j'ai éteint la radio, à votre arrivée…

L'oncle Kinana prend une voix calme :

– Ces membres du Comité Militaire du Parti sont au nombre de onze, et je ne sais pas pourquoi ce chiffre impair et pléthorique. On y trouve le colonel Joachim Yhombi-Opango, les commandants Denis Sassou-Nguesso, Louis Sylvain-Goma, Damase Ngollo, Jean-Michel Ebaka, Martin Mbia, Pascal Bima, les capitaines François-Xavier Katali, Nicolas Okongo, Florent Ntsiba et le lieutenant Pierre Anga. En analysant de très près la composition de cette junte militaire, on voit tout de suite que sept des onze membres sont du Nord, pendant que le Sud, qui est la région la plus peuplée de notre pays, ne compte que deux représentants, Louis Sylvain-Goma et Pascal Bima. Deux autres membres sont de la région des Plateaux et du centre du pays, et ce sont Damase Ngollo et Florent Ntsiba. Ne nous cachons pas les choses : nous sommes dans une véritable configuration tribaliste, puisque les membres les plus importants sont en réalité le président du CMP, le Nordiste Yhombi-Opango, qui sera naturellement investi président de la République dans les jours à venir, et, derrière lui, un autre Nordiste, le premier vice-président du CMP, le commandant Denis Sassou-Nguesso, qui est chargé de la Défense et qui aura la tâche d'imposer un régime militaire...

Il s'arrête, et, comme faisait Tonton René tout à l'heure, il regarde lui aussi à gauche et à droite, puis vers la porte qui est pourtant bien fermée, et il nous demande :

– D'autres questions ?

Personne ne lui répond. Tonton René et l'oncle Jean-Pierre Kinana parlent tellement bien que si tu ne fais pas attention tu vas aimer comment ils s'expriment et oublier que tu ne comprends pas ce qu'ils veulent dire avec leur histoire de Comité Militaire du Parti, de Constitution, de vacance de pouvoir, on dirait que c'est permis pour les présidents de prendre des vacances comme nous les élèves. Un président ne peut pas prendre des vacances de pouvoir, sinon qui va faire le travail à sa place ? Donc il est obligé de travailler vingt-quatre heures sur vingt-quatre et sept jours sur sept.

Tonton René fait un signe de la tête à l'oncle Martin Moubéri :

– Martin, sors-moi le document en question que j'ai rangé dans ma mallette...

L'oncle Martin Moubéri appuie sur un bouton de la mallette, elle s'ouvre avec un bruit de clic-clac qui nous pousse tous à ne plus regarder ailleurs. Il sort plusieurs feuilles de papier, il en choisit une qu'il déplie devant nous. J'aperçois des mots tapés à la machine, mais je ne peux pas bien lire, je vois tout à l'envers. Si je reconnais le nom de l'ancien président Alphonse Massamba-Débat, c'est parce que Tonton René l'a beaucoup cité ce soir.

L'oncle Moubéri tend la feuille de papier à Papa Roger qui la lit en murmurant comme s'il priait à l'église Saint-Jean-Bosco. L'oncle Moubéri n'a pas donné en premier cette feuille à Maman Pauline car ma mère ne sait pas lire, même si elle se débrouille très fort en français parlé et en calcul puisque c'est une commerçante.

Papa Roger pointe soudain son doigt sur la feuille, il la rapproche de son nez et s'écrie :

– NON ! NON ! NON ! C'est pas vrai !

Tonton René croise les bras et fait la mine de celui qui est très chagriné :

– Oui, Roger, c'est pourtant vrai...

– Mais peut-être que ce document...

– Ce document n'est pas un faux, Roger, il vient de sources très autorisées...

– Mais qu'est-ce qu'ils ont contre le capitaine ? Qu'est-ce qu'il leur a fait ?

– Il était bel et bien concerné...

– *Était* ?

Tonton René ne répond pas à mon père. L'oncle Kinana regarde vers l'oncle Martin Moubéri, puis les deux vers Tonton René, mais tous les trois évitent Maman Pauline, et c'est l'oncle Martin qui nous annonce :

– Le capitaine Luc Kimbouala-Nkaya a été froidement abattu hier chez lui à Brazzaville, dans le quartier du Plateau des Quinze-Ans, par un groupe de militaires, en présence de sa femme, de ses enfants et d'autres membres de la famille...

Maman Pauline hurle si fort que mes oreilles se bouchent.

Papa Roger frappe d'un coup de poing sur la table, et les pépins de pamplemousse se mettent à s'agiter dans mon verre.

Moi aussi je donne un bon coup de poing sur la table, et les verres de vin manquent de peu de se renverser et de tacher encore plus notre vieille nappe.

De tous mes oncles c'est le capitaine Luc Kimbouala-Nkaya que je connaissais bien en dehors de Tonton René et de Tonton Mompéro, parce que c'est chez ce tonton militaire que nous avons habité quand Maman Pauline m'avait fait visiter Brazzaville pour la première fois. Oh, j'avais huit ans et demi, et c'était aussi la première fois que je voyageais dans cette micheline qui s'arrête partout. Nous avions de la chance, il n'y avait pas eu de déraillements en cascade vers les gares de Dolisie, de Dechavanne, de Mont Bélo, de Hamon et de Baratier, on était arrivés à temps, c'est-à-dire un jour et demi après notre départ. La gare de Brazzaville était remplie de monde qui se bousculait, achetait les choses venues de Pointe-Noire. Là-bas on ne parlait pas le munukutuba mais le lingala. Il n'y avait pas que les Brazzavillois, il y avait aussi des Zaïrois qui avaient traversé le fleuve dans des pirogues pour se ruer sur les marchandises. Je voyais des commerçantes saluer ma mère avec respect. Elle leur répondait qu'elle n'était pas venue avec des régimes de bananes, qu'elle m'accompagnait chez son frère Luc Kimbouala-Nkaya, où j'allais passer les vacances. Dès que ces gens entendaient le nom de mon oncle, ils devenaient tout petits et respectaient encore plus ma mère. Nous avions pris un taxi vert qui avait chargé ce que Maman Pauline allait offrir à l'oncle

Kimbouala-Nkaya : deux coqs blancs, deux régimes de bananes, deux grosses portions de pâte d'arachide, dix maniocs qu'elle avait elle-même fabriqués pendant vingt-quatre heures dans notre cuisine, un petit sac de noix de cola, deux litres d'alcool de maïs et deux boubous ouest-africains achetés au Grand Marché.

Après vingt minutes de route, on était arrivés devant la parcelle du capitaine gardée par deux militaires qui nous ont respectés comme si nous aussi nous étions dans l'Armée Nationale Populaire. Tonton Kimbouala-Nkaya et son épouse avaient tué un cochon pour nous recevoir. C'est comme ça que font les Babembe. Chez mon oncle on était tellement bien nourris que j'avais dit à ma mère que je voudrais rester jusqu'à la fin de ma vie à Brazzaville pour continuer à manger des cochons quand on recevra du monde dans cette belle maison en dur. Et puis, comme il était trop gentil et ne parlait pas beaucoup, il me laissait essayer sur ma tête son béret devant le miroir du salon où je prenais la position des militaires et criais : « Garde à vous !!! » Mais ce n'est pas parce qu'il était trop gentil qu'il fallait abuser. Ses enfants et moi-même nous savions qu'il était interdit de toucher au pistolet caché dans un coffre cadenassé. L'oncle gardait la clé dans sa poche, sans quoi mes cousins joueraient à la guerre mondiale, les uns se cachant derrière la maison, les autres dans les parcelles des voisins.

C'est chez l'oncle Kimbouala-Nkaya que j'ai vu pour la première fois la télévision, et je ne peux pas oublier ça parce que toute la maison était réveillée jusqu'à l'aube pour regarder le combat de boxe que la télévision du Zaïre diffusait. Nous avions vu en direct Mohamed Ali et George Foreman qui se battaient à Kinshasa, au stade du 20-Mai, et nous aussi, chaque fois qu'Ali donnait un coup sur la figure de Foreman, nous étions contents, nous chantions *Ali, tue-le !* Ali, boma yé ! Ali, boma yé ! Ali, boma yé !

La maison de l'oncle Kimbouala-Nkaya était belle. Même si elle était inachevée, elle n'était pas comme « les maisons en attendant » car le capitaine continuait les travaux, il avait de l'argent pour tout finir un jour. Dans le quartier du Plateau des Quinze-Ans on enviait cette maison. Avant d'arriver dans la cour qui est à l'intérieur, il fallait traverser un long couloir, et de part et d'autre de ce couloir il y avait des studios que n'importe quel membre de la famille pouvait occuper pendant son passage à Brazzaville. Je me souviens bien qu'il y avait trois studios d'un côté et trois de l'autre. Juste après le couloir qui conduisait dans la petite cour intérieure en forme de cercle on appréciait la lumière, comme si c'était Dieu Lui-même qui éclairait cette maison. Tout autour de cette cour intérieure, Tonton Kimbouala-Nkaya avait construit quatre studios, et la pièce dans laquelle il vivait avec sa femme était celle d'en face, la plus grande, la plus éclairée de toutes. Dans cette pièce, il y avait une douche comme à l'hôtel Victory Palace, des cabinets comme encore ceux de l'hôtel Victory Palace, donc il fallait être vigilant parce qu'une fois qu'on avait terminé de faire ce qu'on était obligé de faire dedans, on devait tirer sur une chaîne pour que l'eau chasse ce qui était sorti de notre ventre et que je ne vais pas décrire ici sinon on va encore dire que moi Michel j'exagère toujours et que parfois je suis impoli sans le savoir…

– Que s'est-il réellement passé, René ? demande mon père.

Tonton René vide d'abord son verre et explique ensuite :

— Comme je l'ai dit, Roger, c'est la chasse aux sorcières contre les Sudistes de l'Armée Nationale Populaire. Et ça ne concerne pas que les militaires puisque le cardinal Émile Biayenda, un Lari, a déjà été arrêté, alors que c'est un homme de Dieu. Ils vont lui réserver le sort du capitaine, et ce sera aussi le cas pour l'ex-président Alphonse Massamba-Débat. En gros, tous ceux qui sont sur cette liste que tu as parcourue vont y passer, de même que leurs proches…

Quand Maman Pauline entend ces dernières paroles, elle essuie vite ses larmes avec le bout de son pagne :

— Donc ces méchants militaires de Brazzaville viendront casser ma maison et m'assassiner devant Michel, comme ils ont fait pour mon frère devant sa femme et ses enfants, c'est ça ?

Tonton René remue la tête :

— Pauline, ça dépend… Comment les gens sauront que nous sommes de la famille de Kimbouala-Nkaya puisque nous n'avons pas le même nom de famille ?

Maman Pauline engueule presque les oncles Kinana et Moubéri :

— Comment se fait-il que mon frère n'a pas pu venir avec vous deux hier dans l'avion que vous avez pris, hein ? Pourquoi ils ont tué notre frère, hein ? Pourquoi ?

C'est Tonton René qui répond enfin :

— Pauline, j'ai toujours eu le sentiment que le capitaine Kimbouala-Nkaya était conscient du sort qui allait s'abattre sur lui, mais le connaissant, il n'était pas quelqu'un qui pouvait reculer devant la mort. Toute sa vie a été ainsi, dans le courage, et nous venons de perdre peut-être l'un des plus grands militaires que les Babembe auront donnés à ce pays…

Tonton René nous apprend que le capitaine avait fait l'École militaire de Saint-Cyr avec Louis Sylvain-Goma qui est maintenant un membre du Comité Militaire du Parti. Il dit que cette école de Saint-Cyr est très célèbre, tous les militaires rêvent de se former là-bas en France. Le capitaine avait croisé d'autres Congolais pendant sa formation comme justement le camarade président Marien Ngouabi et Joachim Yhombi-Opango, qui est aussi devenu membre du Comité Militaire du Parti !

Quand Tonton René raconte tout ça, nous commençons à constater que le monde est vraiment petit, et que Tonton Kimbouala-Nkaya connaissait la plupart de ces gens du Comité Militaire du Parti, ou alors que c'étaient eux qui le connaissaient et qui avaient des raisons d'avoir peur de lui. Nous croyions connaître le capitaine, mais nous ne savions rien de lui. Maman Pauline ne me parlait jamais de lui de long en large. Et d'ailleurs, comme elle n'est pas allée à l'école comment elle pouvait comprendre que l'école de Saint-Cyr ce n'est pas le collège des Trois-Glorieuses ou le lycée Karl-Marx ? C'est pour cela que j'ouvre grandement mes oreilles quand Tonton René nous apprend qu'à la fin de sa formation à Saint-Cyr, le capitaine était revenu au pays et avait été chargé de former les futurs militaires pour protéger notre Révolution socialiste congolaise. Il l'avait tellement bien fait qu'on l'avait affecté ici à Pointe-Noire pour commander les militaires. Mais je n'étais pas encore né pour voir ça, et Maman Pauline vivait à Mouyondzi, dans la région de la Bouenza. Seuls Tonton René revenu de sa formation en France et Tonton Albert embauché par la Société Nationale d'Électricité allaient rendre visite au capitaine à la Zone Militaire Numéro 2, où il commandait. Tonton Kimbouala-Nkaya travaillait tellement bien qu'on avait fini par le nommer chef d'état-major. Mais quand le régime du président Alphonse Massamba-Débat est tombé, on a viré l'oncle Kimbouala-Nkaya de son poste, on l'a remplacé par ce Louis Sylvain-Goma qui était un de ses camarades à Saint-Cyr, et qui est actuellement au Comité Militaire du Parti.

Là encore, je me dis que tous ces gens se connaissaient. Surtout quand Tonton René nous dévoile qu'une fois que l'oncle Kimbouala-Nkaya avait été viré, on l'avait quand même rappelé pour créer le Conseil National de la Révolution, le CNR, avec d'autres militaires, dont Marien Ngouabi qui n'était pas encore président, Denis Sassou-Nguesso et Louis Sylvain-Goma, ces deux derniers qui sont aujourd'hui membres du Comité Militaire du Parti. Tonton Kimbouala-Nkaya sera aussi parmi ceux qui ont créé notre Parti Congolais du Travail qui est comme le bébé du Conseil National de la Révolution. Le capitaine recommence à monter en grade quand le camarade Marien Ngouabi devient président de la République : il est le deuxième commissaire politique de l'Armée aux côtés d'Ange Diawara, l'ancien commandant de la Défense civile de l'ex-président Alphonse Massamba-Débat. Mon oncle et Ange Diawara sont de grands amis. Ils s'entendent bien, ils veulent que notre pays marche. C'est pour ça qu'ils n'hésitent pas à critiquer le tribalisme qu'ils remarquent autour du camarade président Marien Ngouabi. Parce qu'il parle trop, parce qu'il critique trop, le capitaine est viré par le camarade président Marien Ngouabi. Tonton René dit que le 22 février 1972, un proche du capitaine, Ange Diawara, lance un coup d'État contre le camarade président Marien Ngouabi, mais il ne le réussit pas. Notre oncle est tout de suite menacé car il est trop proche de Diawara. Il est mis en prison, condamné à mort avec d'autres hommes politiques considérés comme complices.

Tonton René transpire, il a trop parlé. Il sort une pochette blanche et s'essuie le front :

– Le capitaine Kimbouala-Nkaya et les autres prétendus complices du coup d'État raté ne seront pas tués, ils bénéficieront de la clémence du président Marien Ngouabi… Cinq ans plus tard, c'est-à-dire hier, le 18 mars 1977, quelques heures seulement après l'assassinat du camarade président Marien Ngouabi, une équipe de militaires s'est rendue au domicile de notre frère pour l'arrêter, sous prétexte qu'il faisait partie de près ou de loin des comploteurs. Et c'est au cours de son arrestation qu'il a été froidement abattu…

Tonton René ne parle plus. Il nous regarde les uns après les autres, comme s'il voulait mesurer notre tristesse, mais surtout notre colère.

Maman Pauline repose sa question :

– Ça veut dire que les militaires de Brazzaville viendront nous menotter et iront nous tuer à la Côte Sauvage à cinq heures du matin ?

– Pauline, une fois de plus je te redis que nous n'avons pas le même patronyme. Tu t'appelles Kengué ; moi, Mabahou ; Mompéro, Mvoundou ! Qui saura que nous avons le même père que le capitaine, un père qui, lui-même, s'appelle Grégoire Massengo ?

– Concrètement, René, qu'est-ce qu'il faut faire ? demande Papa Roger alors que tout le monde commence à se lever de table et que mon oncle redresse le revers de sa veste.

Tonton René parle plutôt à ma mère :

– Je demande la plus grande discrétion, on ne sait jamais. C'est la raison pour laquelle Moubéri et Kinana ont quitté Brazzaville où ils étaient trop exposés. Je vais les héberger jusqu'à nouvel ordre… Pour l'instant, Pauline, tu arrêtes ton commerce qui te fait voyager jusque dans la brousse. Si tu as besoin de sous, je t'en donnerai de temps en temps, mais je ne veux plus que tu voyages, les trains sont bourrés de militaires qui contrôlent tout…

En entendant ça, Maman Pauline sanglote encore plus. Elle disparaît dans la chambre, et moi je sais déjà que c'est pour aller verser des larmes, plus nombreuses et plus chaudes, car on vient de toucher à ce qu'elle aime le plus : son commerce en gros de régimes de bananes. Et quand je pense à ces larmes plus nombreuses et plus chaudes qui couleront sur ses joues, j'ai aussi envie d'aller dans ma chambre, je sens mes propres larmes arriver. Elles vont couler comme celles de Maman Pauline, mais plus nombreuses et plus chaudes, pas seulement parce que le commerce de ma mère est foutu pour de bon à cause de la mort du camarade président Marien Ngouabi, pas seulement parce que l'oncle Kimbouala-Nkaya vient d'être assassiné en présence de sa femme et de ses enfants, mais aussi, et ça personne ici le sait, parce que je ne comprends toujours pas pourquoi mon chien n'est pas revenu à la maison alors qu'il y a le couvre-feu partout et qu'il est peut-être en danger quelque part dans cette ville triste, dans cette ville silencieuse en cette nuit du samedi 19 mars 1977 qui nous laisse tout seuls, mais vraiment tout seuls.

Une voiture démarre dehors. Tonton René s'en va avec les deux autres oncles…

Du sable dans les yeux

J'entends les voix de mes parents. Normalement, à une heure comme ça, s'il n'y avait pas de mauvaises nouvelles en pagaille, ils seraient en train de ronfler. Mais ils se chamaillent sur une histoire qui m'inquiète : Maman Pauline annonce à Papa Roger qu'elle va raser ses cheveux, et donc qu'elle aura la boule à zéro comme font les femmes quand un membre de leur famille vient de mourir. Ces femmes-là gardent la boule à zéro pendant au minimum un mois. Dès que ça repousse de quelques millimètres, elles rasent encore, et quand vous passez la main sur leur crâne c'est comme du ciment, c'est tout propre. Chaque jour elles dessinent une croix sur le mur, une fois qu'il y aura trente croix, elles sauront que ça fait déjà un mois, et elles vont arrêter de se raser parce que c'est la fin du deuil et que personne ne viendra leur reprocher de rester belles au lieu d'être vilaines jusqu'à ce que le corps de leur parent pourrisse bien comme il faut. Pendant ce deuil elles n'ont pas le droit de danser, de rire, de se mettre du rouge à lèvres, du vernis à ongles ou du maquillage. Non, c'est seulement après un mois qu'elles feront tout ça petit à petit parce que si elles redeviennent trop vite excitantes et appétissantes devant les hommes, le mort ne sera pas content et refusera de pourrir sous la terre. Or s'il ne pourrit pas c'est dangereux pour tout le monde : il reviendra se plaindre chaque soir dans les rêves des membres de la famille, et on le verra pleurer de dos à côté d'un arbre qui n'a pas beaucoup de feuilles et ne donne plus de fruits.

Papa Roger n'est pas d'accord pour que ma mère ait la boule à zéro :

– Pauline, si tu rases tes cheveux on va croire que quelqu'un est mort dans la famille et...

– Et alors ?

– Ben, dans le quartier les gens te demanderont où est le cadavre pour qu'ils se cotisent et te viennent en aide ! C'est ça que tu veux, hein ?

– Je vais raser mes cheveux, Roger !

– Non, il faut que tu restes naturelle, discrète, comme si rien ne s'était passé !

– Comment ça, rien ne s'est passé ? Mon frère a été assassiné par les Nordistes !

– Écoute-moi, Pauline... Je comprends ta douleur, mais ce n'est pas une raison pour ne pas être prudente et...

– Donc je ne vais pas pleurer mon frère, hein ? Je ne vais pas voir son corps, hein ?

– Ce n'est pas ce que je dis, ça m'étonnerait qu'on laisse organiser à Brazzaville les funérailles d'un homme dont on a tenu à vite se débarrasser...

– Alors je vais faire payer aux Nordistes que je connais ce qu'ils ont fait à mon frère !

– Pauline...

– Ils vont payer ça, je te jure ! Ils se prennent pour qui, hein ?

– C'est ça ! Tu vas prendre une arme et aller mitrailler les membres du Comité Militaire du Parti les uns après les autres ? Sois réaliste !

– Eh bien, lundi j'irai au marché, et si la commerçante nordiste qui me doit beaucoup d'argent depuis des
mois ne me rembourse pas tout, elle va savoir qui est
Pauline Kengué, fille de Grégoire Massengo et d'Henriette Nsoko ! Elle saura aussi que je suis la sœur cadette
du capitaine Kimbouala-Nkaya, crois-moi !

– Ce n'est pas une bonne idée, la Nordiste dont tu
parles n'est pas n'importe qui, tu le sais, elle est membre
de l'Union Révolutionnaire des Femmes du Congo…

– Quoi ? Parce que, eux, à Brazzaville, quand ils ont
tué mon frère, c'était une bonne idée ? Parce que mon
frère était n'importe qui ?

– Tu ne peux pas aller voir cette femme, Pauline,
surtout que tu seras seule et…

– Eh bien, j'irai avec Michel ! De toute façon toi
tu dormiras chez ta femme Martine, c'est tout ce qui
est dans ta tête en ce moment, je ne sais pas ce que tu
fous dans ce lit aujourd'hui !

– Là, tu sors des choses qui n'ont rien à voir avec
ce qu'on discute, Pauline…

– Parce que tu veux me faire croire que tu n'es pas
content d'aller retrouver Martine, c'est ça ? Tu n'es
pas content de revoir tes vrais enfants, c'est ça ? D'ailleurs, pourquoi tu n'y vas pas maintenant, tu as peur
du couvre-feu, toi aussi ?...

Elle pleure, mon père la console, la supplie de ne pas
couper ses cheveux, de ne pas aller au marché embêter
la commerçante nordiste qui n'est pas n'importe qui.
Moi je me dis que ma mère aussi n'est pas n'importe
qui. Elle est la fille de Grégoire Massengo qui était le
chef du village Louboulou.

Les sanglots de Maman Pauline disparaissent petit
à petit, et plus personne ne parle dans la chambre de
mes parents. J'ai l'impression qu'il y a de plus en plus

de sable dans mes yeux. Je les frotte encore et encore. Je bâille, je me sens tout faible, impossible maintenant de bouger les mains, les pieds, comme si on m'avait attaché dans ce lit. La maison commence à tourner, à tourner autour d'elle-même d'abord lentement, puis à toute vitesse au moment où mes yeux se ferment...

Dimanche 20 mars 1977

La Voix de la Révolution Congolaise

Ce matin Papa Roger ne veut pas écouter La Voix de la Révolution Congolaise, il s'est branché sur La Voix de l'Amérique. Il pense que seuls les Américains savent tout ce qui se passe dans le monde. Quand vous croyez être au courant des informations avant eux, ils éclatent de rire parce qu'ils ont des magnétophones minuscules comme des graines de maïs qu'ils cachent dans les résidences des présidents africains qui vont être assassinés. Donc ça ne m'étonne pas qu'aujourd'hui ils donnent plein de détails que nos journalistes congolais ne peuvent pas posséder parce qu'ils n'ont pas de magnétophones minuscules comme des graines de maïs. La Voix de la Révolution Congolaise attend encore que le Comité Militaire du Parti lui souffle ce qu'elle doit dire en direct sur la façon dont notre camarade président Marien Ngouabi a été liquidé le 18 mars dernier à 14 h 30, à une heure où normalement les gens font la sieste parce que c'est la chaleur partout. Si le Comité Militaire du Parti prétend que le camarade président Marien Ngouabi a imité Jésus, c'est-à-dire qu'il a ressuscité, comme si la mort était une petite sieste de rien du tout, eh bien les journalistes congolais vont le répéter sans vérifier. Mais puisque le Comité Militaire du Parti n'a encore rien déclaré, La Voix de la Révolution Congolaise ne balançait que les chants militaires de l'Armée soviétique, et je rêvais alors de la neige et des militaires soviétiques qui marchent dessus sans avoir froid aux pieds grâce à leurs chaussures spéciales que nos militaires ne porteront jamais car il n'y a pas de neige chez nous.

On passait de temps en temps les anciens discours du défunt chef de la Révolution, Papa Roger en a eu marre et a changé de station pour écouter la radio américaine et ses journalistes qui s'expriment en français rien que pour nous les Africains.

Ce qui avait aussi énervé Papa Roger dans notre radio nationale, c'est qu'un journaliste à la voix de saoulard racontait la vie du camarade président Marien Ngouabi de long en large comme s'il avait vécu avec lui ou qu'il avait été là le jour de la naissance de notre chef de la Révolution. Il pleurait quand il expliquait que notre président n'était pas un fils de riche, qu'il était pauvre comme la plupart des Congolais, qu'il était né dans un tout petit village perdu du Nord là-bas et qui s'appelle Ombellé. C'était vraiment un village de brousse qu'on ne rencontre que dans les livres des Blancs qui parlent des Noirs, avec quelques cases et des gens qui se connaissent tous parce qu'ils ont les mêmes parents et font des enfants entre eux sans avoir peur de faire des bébés malformés avec des gueules de sanglier ou des pieds de cochon. En plus dans ce village d'Ombellé il y a justement des cochons qui tournent en rond parce qu'ils n'ont rien d'autre à faire que de manger de la merde et d'attendre le jour où ils vont être eux-mêmes mangés ou vendus. Toujours dans ce village d'Ombellé, il y a également des coqs qui se trompent chaque fois d'heure et qui font cocorico à midi en croyant qu'ils peuvent faire arriver la nuit alors que c'est avant l'aube qu'ils devraient faire cocorico, comme ça les paysans ne seront pas en retard pour débroussailler les champs, planter les patates douces, les taros et les ignames. Alors que personne ne peut demander à Dieu de naître à Ombellé, ce journaliste à la voix de saoulard disait que c'était le plus beau village du monde et que le 31 décembre 1938, le bébé qu'on a nommé là-bas Marien Ngouabi, fils unique de Maman Mboualé-Abemba et de Dominique Osséré m'Opoma, ne pouvait naître que là, autrement il ne serait jamais devenu notre camarade président de la République ! Les ancêtres l'avaient décidé, ils étaient présents et très excités autour de l'enfant, ils étaient en train de le bénir, de lui dire de faire très attention à la vie qui n'est pas une ligne droite, d'être vraiment juste et bon jusqu'à sa mort. Il paraît que les anges faisaient des va-et-vient entre le ciel et la terre pour bien vérifier qu'on ne s'était pas trompé de bébé à qui on donnait une mission de ce gabarit.

Dans ce village donc, disait encore ce journaliste à la voix de saoulard, dès l'âge de sept ans les enfants sont capables d'aller à la pêche et à la chasse comme s'ils étaient des adultes. Ils savent fabriquer les pièges pour attraper les oiseaux et les souris, et notre camarade président était déjà calé dans tout ça, il n'avait pas peur de la nuit, il ne craignait pas les diables, les fantômes, les serpents ou les autres bêtes qui font trembler les petits de cet âge-là. Il passa son enfance dans ce coin perdu, puis alla à l'école primaire quelques kilomètres plus loin, dans une ville qui s'appelle Owando, puisqu'un village trop minuscule comme Ombellé ne peut pas avoir une école sinon il n'y aurait que deux ou trois personnes dans la classe car là-bas il n'y a que des vieux avec de la barbe blanche qui touche le sol, et ce n'est pas quand on est un vieillard qu'on va à l'école. Le journaliste à la voix de saoulard a même juré au nom de Dieu que pour traverser la rivière Koyo et aller à l'école le petit Marien Ngouabi le faisait lui-même à la nage. C'est là que je me suis demandé pourquoi il ne nous expliquait pas comment l'écolier Marien Ngouabi s'arrangeait pour que ses cahiers ne soient pas mouillés pendant la nage, ou bien comment il se faisait qu'au milieu de cette rivière très dangereuse les caïmans affamés ne le dévoraient jamais. Peut-être que les ancêtres le protégeaient et que ces caïmans devenaient tout gentils puis l'aidaient à atteindre l'autre côté de la rivière avant les piroguiers, et que les mêmes caïmans l'attendaient là pour le ramener dans l'autre sens à la fin de l'école.

Le journaliste à la voix de saoulard nous avait appris qu'on sentait bien que le petit Marien Ngouabi ne pouvait que devenir un homme important puisqu'il avait déjà été chef de classe et capitaine de l'équipe de football de son école primaire. Et c'est à ce moment-là que notre journaliste avait raconté un secret de la jeunesse du défunt camarade président pour prouver aux douteurs qu'il était déjà courageux depuis ce temps-là et que la mort ne lui faisait pas peur. On l'avait écouté de long en large dire :

« Le président était au cours moyen 2ᵉ année, âgé à peine de quatorze ans. Un jour que les élèves de son école se baignaient dans la rivière Koyo alors gonflée de toutes parts, brusquement, un immense brouhaha couvrit la rivière : "Un enfant se noie ! un enfant se noie ! un élève du cours des débutants !" Les commentaires furent aussi rapides que la sortie des eaux opérée bruyamment par tous les baigneurs : "Un caïman emporte l'enfant !" Qui risquera sa vie pour aller sauver cet enfant qui se débat, bien faiblement, au milieu des courants sombres de la puissante rivière Koyo ? Devant la foule ahurie, contre vents et tempêtes, le jeune Marien Ngouabi se jette à

l'eau, nage énergiquement vers l'enfant qui se noie effec-
tivement, le rattrape et le ramène victorieusement au bord
de la rivière, à la grande satisfaction de tout le monde.
En fait, l'enfant sauvé des eaux n'était pas du même
village que le jeune Ngouabi. C'était un élève du village
Elinginawe, à côté d'Owando : l'enfant d'Olouengué. Il
s'agissait d'Olouengué François, actuellement professeur
d'histoire dans un lycée : le président Marien Ngouabi
l'avait reçu au cours de l'année 1976. Le président avait
reçu ce "Moïse" devenu aujourd'hui adulte et professeur
dans un des lycées de notre pays. Et cette rencontre avait
eu lieu en présence de notre actuel ministre des Affaires
étrangères, Théophile Obenga, dont je n'ai fait que lire
fidèlement, mot à mot, le poignant témoignage pour qu'il
demeure indélébile dans la mémoire du peuple congolais,
parce que c'est cela aussi l'Histoire... »

Puis le journaliste avait parlé des études du petit
Marien Ngouabi à l'École militaire préparatoire Général-
Leclerc de Brazzaville après son Certificat d'Études
Primaires et Élémentaires. C'est grâce à ce diplôme que
je suis moi-même entré au collège des Trois-Glorieuses,
et je ferai tout pour arriver au lycée Karl-Marx, près
de la mer où je regarderai les cigognes blanches qui
volent *au-dessus des têtes des gens et poussent des*
gémissements. Le petit Marien Ngouabi, lui, n'est pas
allé au collège des Trois-Glorieuses, mais dans cette
école Général-Leclerc qui, d'après le journaliste, est
devenue aujourd'hui l'école des Cadets de la Révolution
qui vont être les chefs de ce pays puisqu'ils apprennent
déjà à être des militaires. De cette école, il est parti en
Oubangui-Chari où il a été promu au grade de sergent.
Puis le voilà qui s'en va vers le Cameroun dans l'armée
française. Papa Roger m'avait alors soufflé ce que le
journaliste n'avait pas dit et qui était quand même très

important : cette armée française massacrait les pauvres Camerounais qui réclamaient leur indépendance, et pendant ces massacres, avec la complicité de l'armée camerounaise, on avait tué un monsieur qui était aussi important que Patrice Lumumba et qui s'appelait Ruben Um Nyobè. Ce grand monsieur était contre la colonisation, il voulait l'indépendance de son pays. On l'a attrapé parce que les Africains eux-mêmes ont dit aux Blancs à quel endroit il se cachait dans le maquis, et, après l'avoir mitraillé, ces militaires ont fait très honte à son corps en le traînant partout, en le frottant bien par terre, en le mélangeant tellement dans la boue que Ruben Um Nyobè ne pouvait plus être reconnu. Le journaliste, lui, nous expliquait que devant une situation pareille le jeune militaire Marien Ngouabi avait voulu démissionner, mais qu'il ne le pouvait pas car il devait d'abord rembourser à l'armée française l'argent qu'on lui avait donné pour ses études, or il n'avait rien dans les poches comme la plupart des étudiants militaires. Il est donc resté avec l'armée française qui l'a affecté chez les Camerounais de l'ethnie bamiléké. Ces Camerounais-là sont les plus têtus dans la bagarre, il ne faut pas plaisanter avec eux parce qu'ils s'en foutent que les militaires soient blancs ou noirs, ils défendent leur territoire et les gens de leur ethnie jusqu'à la mort, même avec des cuillères, des fourchettes et de l'eau pimentée. Après son passage chez les Bamilékés, on l'a envoyé à Douala, puis il a finalement quitté le Cameroun pour revenir chez nous, dans la ville d'Owando qui est proche de son village natal Ombellé. Juste après notre indépendance obtenue le 15 août 1960, le jeune militaire Marien Ngouabi a été envoyé à l'École militaire préparatoire de Strasbourg. Il est donc allé là-bas en France, et il a été accepté à l'École militaire de Saint-Cyr en formation comme officier. C'est dans cette école qu'il a croisé mon oncle Kimbouala-Nkaya et quelques membres du Comité Militaire du Parti d'aujourd'hui, et là-bas, il est tombé amoureux d'une Française, Clotilde Martin, qui était serveuse dans un salon de thé et avec qui il a eu deux enfants, Roland Ngouabi et Marien Ngouabi Junior (si on l'a appelé Junior ce n'était pas pour dire que le camarade président l'aimait plus que Roland, mais pour ne pas confondre son nom avec le nom du chef de la Révolution congolaise car dans ce monde il n'y a qu'un seul Marien Ngouabi).

Normalement c'était Clotilde Martin qui allait devenir sa femme, mais elle était très fâchée et avait décidé de retourner vivre dans son pays parce que le camarade président Ngouabi avait pris une deuxième femme qui s'appelle Céline Mvouka, et que nous appelions Maman Céline Ngouabi. Le journaliste à la voix de saoulard avait expliqué que le mariage avec Clotilde Martin ne dérangeait pas les Congolais, c'était bien de montrer que nous n'étions pas des racistes, que nous pouvions épouser des Blanches de toutes catégories, et même accepter qu'elles soient nos mamans nationales alors que ce n'était pas demain ou après-demain que Tonton Pompidou allait quitter sa femme blanche et choisir une femme noire bien grosse de chez nous, ou alors garder sa femme blanche et ajouter une autre qui sera noire du matin au soir devant tous les Français qui vont crier : Mais c'est quoi ça ? Le journaliste avait tout de suite averti qu'en 1962, lorsque le jeune Marien Ngouabi avait épousé cette Clotilde Martin, la pauvre serveuse ne savait pas qu'elle venait de se marier avec un homme qui allait devenir un camarade président de la République et elle, notre maman nationale blanche. Donc ceux qui racontaient du n'importe quoi à gauche et à droite, du genre que la Blanche, là, avait profité de la situation, étaient des imbéciles qui ne comprennent pas qu'il n'est pas écrit sur le front d'un bébé qu'il sera président, sinon le bébé va avoir des problèmes et mal passer son enfance devant les jaloux et les profiteurs qui vont tous proclamer qu'ils sont ses parents ou je ne sais pas quoi encore. Le journaliste a dit aussi que, de retour au pays en 1963, après notre indépendance, le jeune lieutenant Marien Ngouabi habitait à Pointe-Noire où il commandait les militaires, tout comme mon oncle Kimbouala-Nkaya. Cinq ans après, et à cause de la pagaille dans le pays, le lieutenant Marien Ngouabi était devenu trop célèbre, il avait fait démissionner le président Alphonse Massamba-Débat, pour devenir lui-même notre camarade président de la République…

Le journaliste de La Voix de la Révolution Congolaise n'avait pas bien expliqué les choses comme Tonton René. Il sautait des dates et des noms parce qu'il savait que le Comité Militaire du Parti écoute trop la radio, et qu'il peut demander de tout couper ou de recommencer l'histoire comme il veut l'entendre. En plus, pendant qu'il nous racontait tout ça, l'histoire était chaque fois interrompue par des communiqués du porte-parole du Comité Militaire du Parti, un monsieur qui s'appelle Florent Ntsiba et qui est d'une ethnie du centre du pays. Moi je connaissais déjà sa voix parce que c'était la même que celle qui avait dit avant-hier :

« *Mais l'impérialisme aux abois dans un dernier sursaut vient par l'entremise d'un commando-suicide d'attenter lâchement à la vie du dynamique chef de la Révolution congolaise, le camarade Marien Ngouabi, qui a trouvé la mort au combat, l'arme à la main, le vendredi 18 mars 1977, à 14 h 30… »*

Le dernier communiqué qu'on a écouté avant de finalement changer de station c'est quand le porte-parole Florent Ntsiba est venu lire ce que le Comité Militaire du Parti avait dit aux ambassadeurs étrangers qui veulent, eux aussi, comprendre comment le camarade président Marien Ngouabi est mort. Il lisait sans respirer, comme si la guerre était arrivée à deux pas du fleuve Congo et qu'on devait se préparer à prendre les armes :

Messieurs les Ambassadeurs et Chefs des missions diplomatiques,
Au nom du Comité Militaire du Parti mis en place dans la nuit d'hier par le Comité Central du Parti Congolais du Travail, avec délégation de tous les pouvoirs et au nom du gouvernement, nous avons le très douloureux devoir de vous annoncer officiellement la mort brutale du camarade Marien Ngouabi, Président de la République, Président du Comité Central du Parti Congolais du Travail, Chef de l'État. Cette mort du chef de la Révolution congolaise, perpétrée par l'impérialisme et ses valets, est survenue le vendredi 18 mars 1977 à 14 h 30 dans la résidence de l'État-major. Ce forfait a été commis par l'ex-capitaine Barthélemy Kikadidi. Deux éléments du commando ont été abattus et deux autres dont l'ex-capitaine Barthélemy Kikadidi sont en fuite...

C'est donc ça qui avait poussé Papa Roger à tourner le bouton avant même qu'on ne finisse d'entendre le communiqué de long en large, et il m'avait dit que s'il s'était branché sur La Voix de la Révolution Congolaise c'était vraiment pour savoir les consignes du deuil national, pas pour écouter ces explications que personne n'allait prendre au sérieux car il n'y avait pas de preuves et d'enquête, et on citait déjà les noms des gens à attraper avant qu'ils ne traversent en cachette les frontières pour se réfugier dans des pays comme le Zaïre, le Gabon ou le Cameroun.

Sur La Voix de la Révolution Congolaise nous n'avons rien su du deuil, mais je pense que ça ne sera pas un deuil normal où les femmes vont se raser les cheveux en boule à zéro, où on va boire du café, donner rendez-vous aux filles, apporter sa natte pour dormir dehors près du cadavre qui sera sous un hangar de feuilles de palmier. Ça on ne peut pas l'espérer car on n'a pas le cadavre devant nous pour dormir à côté de lui jusqu'au jour de l'enterrement. Le cadavre il est quelque part là-bas à Brazzaville. Pourquoi faire le deuil pour un mort qu'on ne voit pas de nos propres yeux ?

Puisqu'on ne nous a pas donné de consignes, eh bien les gens racontent ce qu'ils veulent raconter. Tout le monde souhaite le deuil, et il y en a qui disent qu'il faut porter une étoffe noire autour du bras droit et montrer dans la rue qu'on est tristes. D'autres ajoutent que ceux qui pleurent très fort seront bien vus par le Comité Militaire du Parti, et que ceux qui ne pleurent pas du tout auront des problèmes très graves. Ils expliquent aussi que la musique des bars ne doit pas être jouée trop fort, il faut passer des chansons traditionnelles de nos ethnies, pas les rumbas de Franco ou de Tabu Ley, pas les tubes de Papa Wemba ou du groupe Zaïko Langa-Langa parce que leur rythme est trop joyeux pour un moment de deuil. Les drapeaux aussi ne doivent pas être levés jusqu'au bout du mât, et ils ne doivent pas flotter n'importe comment même s'il y a du vent. La journée du samedi 19 mars, ça on l'a dit à la radio, a été chômée et payée. Ça veut dire que les gens seront payés même s'ils ne sont pas allés au travail. On a entendu également que ceux qui travaillent dans les bureaux de l'État vont retourner travailler dès lundi, et il paraît qu'ils sont obligés de porter une étoffe noire autour du bras droit dans leurs bureaux. Les frontières avec les pays qui nous entourent sont maintenant fermées. Ça veut dire aussi que personne ne rentre dans le pays, personne n'en sort, sauf les membres du Parti Congolais du Travail exhibant leur insigne rouge et tout rond qui me rappelle les biscuits du père Weyler à l'église Saint-Jean-Bosco pendant les leçons de catéchisme.

L'école est fermée jusqu'à mardi, ce n'est que mercredi qu'on aura classe. On pourra se promener dans la journée, mais il faudra rentrer avant dix-neuf heures et rester à la maison jusqu'à sept heures du matin sinon on risque d'être fouettés par la police avec un câble de Motobécane AV 42...

La Voix de l'Amérique

Papa Roger et moi, nous écoutons donc La Voix de l'Amérique, et c'est vraiment autre chose. Pour commenter la mauvaise nouvelle d'avant-hier, les journalistes sont à deux, une femme et un homme, mais c'est la femme qui commande le monsieur car c'est elle qui pose chaque fois les questions difficiles, et l'homme lui répond à la manière d'un élève qui a bien étudié la table de multiplication, ou alors si cet homme sait tout de notre pays c'est parce qu'il a été à Brazzaville et travaille pour cette femme que moi j'imagine très grande, très belle avec des talons-dames comme ceux que porte Maman Pauline quand elle va au centre-ville et passe dire un petit bonjour à Papa Roger à l'hôtel Victory Palace pour que mon père voie comment elle est une femme qui a de l'élégance avec son pagne bien noué autour des reins et ses boucles d'oreilles en or-plaqué mais qui, de loin, ressemble à de l'or.

Et la journaliste demande au monsieur qui sait tout de notre pays :

– *Alors, Christopher Smith, vous qui observez de très près la politique en Afrique centrale, comment pouvez-vous analyser ce qui se passe actuellement à Brazzaville ?*

Christopher Smith est trop content qu'on lui pose la question et qu'on rappelle qu'il est souvent en Afrique où il travaille depuis des années. On rappelle aussi qu'il a été présent dans plusieurs lieux où se passaient des guerres civiles dans notre continent et qu'il a écrit un gros livre avec beaucoup de preuves à l'intérieur, des preuves qui expliquent comment ceux qui nous ont colonisés sont souvent cachés derrière nous pour nous vendre des armes et nous pousser à nous bagarrer.

Au lieu de parler directement de nos problèmes qui sont très graves à l'heure actuelle, Christopher Smith tourne en rond comme un camion qui chauffe d'abord son moteur avant de démarrer :

– *Vous savez, Sophie, et je l'ai largement démontré dans mon livre* L'Afrique des ténèbres, *les assassinats politiques dans le continent noir sont une tradition sinistre depuis les indépendances au début des années 1960, oh je dirais même à la veille de ces mouvements de libération du joug des colonisateurs occidentaux...*

Et il balance des noms, des dates, des explications que nos journalistes à nous sont incapables de donner. Mais tout cela se trouve peut-être déjà dans son livre dont il cite beaucoup le titre. Je suis très étonné d'entendre comment il prononce bien le nom de notre prophète André Grenard Matsoua, et je suis aussi fier qu'il l'appelle « homme politique ». Il raconte que Matsoua était un têtu qui a bravé les colonisateurs. Il avait fait le séminaire, l'école des Blancs, travaillé aux douanes à Brazzaville et était entré dans l'armée française pour combattre au Maroc un résistant terrible du nom d'Abd el-Krim et qui empêchait les colons de dormir car il gagnait des batailles contre les Espagnols, contre les Français, contre les Britanniques ! Et c'est grâce à des hommes comme André Grenard Matsoua que ces pays ont un peu sauvé leur face puisqu'ils combattaient pour eux !

Christopher Smith dit :

– *Qui peut nier, Sophie, que Matsoua a ajouté une pierre à l'édifice de l'empire français ? Il a été capitaine du 22ᵉ régiment parmi ces Noirs des troupes coloniales qu'on appelait alors Tirailleurs sénégalais et qui n'étaient pas constituées que de Sénégalais, mais aussi de Congolais comme Matsoua ! Hélas, il est mort dans une prison où il avait été condamné pour travaux forcés par la même administration coloniale qu'il aura servie, il devenait une voix, un espoir, donc un danger. Les conditions obscures de sa mort ont accru sa réputation de prophète et influencé les habitants du Pool, la région des Lari dont il était originaire, au point que, même jusqu'aujourd'hui, trente-cinq ans après sa mort et sept ans après celle du général de Gaulle qui était président en son temps et aimé des Lari, il y a encore des ressortissants du Pool qui vont attendre à l'aéroport de Brazzaville le retour de ces deux personnages. Les Lari sont persuadés que le prophète Matsoua et le général de Gaulle ne sont pas morts, que c'est un mensonge des Français et que ces deux hommes, qui n'étaient pas des êtres ordinaires comme nous, reviendront tôt ou tard, qu'on les verra descendre de l'avion, qu'ils salueront la foule venue leur souhaiter la bienvenue, que le général repartira gouverner la France, et que le prophète Matsoua fera ses miracles en guérissant les paralytiques, les aveugles et les femmes stériles. Le général de Gaulle est tellement présent chez les Lari que ces derniers vouent un culte à Ngol, un fétiche qu'ils honorent et qui représente le général avec un long nez et un képi étoilé...*

Le journaliste américain prononce ensuite le nom du Camerounais Ruben Um Nyobè dont me parlait Papa Roger quand on écoutait encore La Voix de la Révolution Congolaise qui avait sauté cette partie alors que ce monsieur était aussi important que Patrice Lumumba. Christopher Smith donne encore beaucoup de détails : Ruben Um Nyobè a été assassiné le 13 septembre 1958 par un soldat noir, Paul Abdoulaye, d'origine tchadienne et qui a carrément été décoré par la France.

Il parle d'un autre Camerounais qui s'appelle Félix Moumié, empoisonné par les services secrets français dans un restaurant en Suisse, et qui est mort quelques jours plus tard, le 3 novembre 1960. Cet homme-là aussi était quelqu'un qui voulait l'indépendance de son pays.

Là, je me dis que ce n'est pas normal qu'on tue les gens dans les restaurants en Suisse car Papa Roger avait soutenu l'équipe suisse, et il avait souhaité que les Anglais soient écrasés en demi-finale de la Coupe de football par ce pays-là qui peut acheter les arbitres parce qu'il possède des banques avec plein de gros billets bien lavés et bien repassés au fer à charbon pour qu'ils restent toujours propres et plats.

Les dates, il y en a trop maintenant, Christopher Smith s'embrouille, il revient chaque fois sur ce qu'il a dit. Il raconte d'abord que c'est le 7 janvier 1961, puis il corrige et dit que c'est le 17 janvier 1961 que Patrice Lumumba a été assassiné. Le 13 janvier 1963, c'est Sylvanus Olympio qui est abattu, il était le premier président que les Togolais avaient eux-mêmes choisi comme on choisit dans les pays développés. Et c'était la première fois, dit Christopher Smith, qu'on assassinait un président africain après les indépendances. Sylvanus Olympio est remplacé par l'ancien Premier ministre

Nicolas Grunitzky, mais il y a quelqu'un qui est impatient et qui va plus tard lancer un autre coup d'État : il s'appelle Étienne Eyadema, il faisait partie des militaires qui étaient allés rechercher Sylvanus Olympio jusque dans l'ambassade de l'Amérique où il s'était caché car même les présidents ont peur de mourir. Eyadema est maintenant au pouvoir depuis dix ans…

Et ce n'est pas fini : le 29 octobre 1965, c'est Mehdi Ben Barka qui est condamné à mort dans son pays, le Maroc. Il se trouvait en France quand on l'avait kidnappé devant un restaurant, un peu comme le Camerounais Félix Moumié en Suisse. Il paraît que le corps de Mehdi Ben Barka n'a toujours pas été retrouvé et qu'on l'avait certainement assassiné avec la complicité des services secrets de la France et du Maroc.

Il y a quatre ans seulement, le 20 janvier 1973, continue Christopher Smith, c'était au tour du papa des indépendances de la Guinée-Bissau et du Cap-Vert, Amilcar Cabral, d'être assassiné lui aussi, mais loin là-bas, en Guinée-Conakry, par les membres de son propre parti qui avaient comploté avec le Portugal, leur colonisateur. Selon Christopher Smith, il y a eu aussi la complicité de la Guinée-Conakry puisque le président de ce pays-là, Ahmed Sékou Touré, avait fait disparaître les traces pour qu'on ne comprenne pas comment l'assassinat s'était passé. Amilcar Cabral n'a malheureusement pas vu comment la Guinée-Bissau et le Cap-Vert qu'il aimait de tout son cœur étaient devenus indépendants : il avait disparu six mois avant ce moment…

– *Enfin, chère Sophie, parmi ces épisodes macabres, rappelons que le 26 août 1973 le Tchadien Outel Bono, qui était hostile au régime de François Tombalbaye, a été abattu en plein Paris de deux balles de revolver…*

Christopher Smith revient maintenant sur la mort du camarade président Marien Ngouabi. Il avertit qu'il a retenu deux explications, l'une est celle que le Comité Militaire du Parti a donnée, et l'autre, celle de Marien Ngouabi Jr., l'un des deux fils métis que le camarade président Marien Ngouabi a eus avec Clotilde Martin…

– Mais avant de livrer ces deux versions, chère Sophie, il convient de remettre les choses dans leur contexte…

Et le voilà qui repart dans ses embrouillements de dates. Il dit que le 22 février 1972, donc il y a cinq ans, on avait déjà essayé de faire assassiner le camarade président Marien Ngouabi par le militaire Ange Diawara, qui était un proche de mon oncle Kimbouala-Nkaya. Ange Diawara avait comploté avec quelques membres du Parti Congolais du Travail mécontents de la politique de notre chef de la Révolution. Avant ça, Ange Diawara était un homme normal qui suivait des études dans les sciences de l'économie comme l'oncle Kinana à l'université Lumumba, en URSS. C'est quand la Révolution socialiste est brusquement arrivée chez nous qu'Ange Diawara est devenu quelqu'un d'important jusqu'à figurer parmi les membres de la garde de notre ancien président Massamba-Débat, celui-là qui est actuellement sur la liste des gens que le Comité Militaire du Parti n'aime pas et qui vont sans faute être vite exécutés comme on a fait pour l'oncle Kimbouala-Nkaya.

Donc, dès que le camarade président Marien Ngouabi, qui n'était pas encore président en 1964, s'est chamaillé avec le président Massamba-Débat, Ange Diawara a choisi le camp du capitaine Marien Ngouabi, il a trahi son propre chef à lui, le président Massamba-Débat. Il est devenu un militaire très important aussitôt que le capitaine Marien Ngouabi a pris le pouvoir. Les gens craignaient Ange Diawara pas seulement parce qu'il était militaire, mais aussi parce que dans le karaté personne ne pouvait le battre. Ange Diawara était présent au moment où le camarade président Marien Ngouabi a fondé le Parti Congolais du Travail, il était également entré comme ministre dans le gouvernement du camarade Marien Ngouabi pour s'occuper de l'eau et de la forêt. Mais voilà, le problème avec lui c'est qu'il critiquait chaque fois le chef de la Révolution parce que d'après lui les choses n'allaient pas comme le peuple souhaitait, et tout coûtait toujours cher comme chez les capitalistes européens : le manioc, les patates, le sucre, l'huile de palme ou d'arachide, le pétrole qu'on a pourtant à gogo, tout ça le peuple ne pouvait pas l'acheter moins cher. Mais ce n'était pas à cause du camarade président Marien Ngouabi que le pétrole coûtait cher comme ça, c'était à cause de ces pays arabes qui ont aussi du pétrole à gogo chez eux et qui changent tout le temps les prix dans le but d'embêter l'Europe, et nous sommes malheureusement obligés d'augmenter les prix sans nous rendre compte que ça embête notre propre peuple qui est forcé de faire des économies en éteignant les lampes-tempête avant de dormir. En plus de ça, malgré la Révolution socialiste et le communisme, il y avait encore trop de tribalisme pendant que les ventres des ministres grossissaient à force de manger l'argent de l'État sans en donner un peu au petit peuple. Parce qu'Ange Diawara disait les choses sans craindre le président, les élèves et les étudiants étaient derrière lui, ils disaient que c'était lui le vrai révolutionnaire, pas le camarade Marien Ngouabi. Ange Diawara poussait ces élèves et ces étudiants à faire des grèves par-ci par-là contre le gouvernement. Est-ce que le camarade président Marien Ngouabi allait vraiment le garder comme ministre qui s'occupe de l'eau et de la forêt dans ces conditions-là ? Non ! Il l'a viré tel un travailleur qui arrive tout le temps en retard au bureau ou sur le chantier, et Diawara a dit : « Ce n'est pas grave que je sois viré, je vais faire un coup d'État. » Et c'est ce qu'il a commencé à magouiller.

Le camarade président Marien Ngouabi était alors en visite officielle à Pointe-Noire quand Ange Diawara a lancé son coup d'État à Brazzaville. Or notre chef de la Révolution était intelligent comme un martin-pêcheur : il a arrêté dare-dare cette visite officielle, il a pris l'avion pour aller siffler la fin de la pagaille. Du coup, notre président, qui, normalement, devait être assassiné ce 22 février 1972, venait d'esquiver la mort de justesse. L'armée a attrapé et tué beaucoup d'amis de Diawara avec qui il était au maquis là-bas dans sa région du Pool. C'est pendant cette période qu'on a également attrapé et liquidé le meilleur musicien de notre pays, Franklin Boukaka, il était gentil, il ne chantait pas pour faire danser et transpirer les gens dans les bars, lui il chantait des choses bien comme la paix entre le Nord et le Sud, entre les Lari, les Teke, les Babembe, les Mbochi et toutes les ethnies qu'on a chez nous et qui n'ont rien d'autre à faire que de se quereller comme s'il n'y avait pas du travail à finir dans nos villes et dans nos campagnes. Pendant ce temps où on avait tué le gentil musicien Franklin Boukaka, eh bien Ange Diawara était en fuite au Zaïre où il avait trouvé un endroit pour se cacher. Il pouvait même rester là-bas, devenir zaïrois avec les Zaïrois, avoir une femme zaïroise et des enfants zaïrois, etc., mais on l'a piégé comme un gamin qu'on attire avec des bonbons glacés qui se vendent chez Mâ Moubobi, on lui a promis de parlementer avec lui, qu'il pouvait revenir pour discuter, et lui il a cru à ces mensonges. On a mis la main sur lui dès qu'il est arrivé à Brazzaville avec sa barbe qui avait beaucoup poussé, on aurait dit que les esprits des ancêtres arrosaient ça avec leurs mains invisibles. On l'a conduit dare-dare à l'état-major et, là-dedans, paf ! paf ! paf ! paf ! on l'a abattu avec d'autres de ses amis. Mais comme le peuple ne croyait pas qu'on puisse tuer un type puissant, mystique et invincible comme Ange Diawara qui était un karatéka, il fallait des preuves. C'est pour ça que le gouvernement a exposé les cadavres au stade de la Révolution, et les doutes sont tombés parce que tout le monde voyait bien que ce n'était pas de la magie, que c'était bien les corps d'Ange Diawara et de ses amis qui étaient étalés là comme du poisson salé qui se vend chez Mâ Moubobi, sauf qu'on n'avait pas mis du sel sur ces morts. C'était donc fini pour Ange Diawara…

Moi j'aime les détails que donne Christopher Smith qui dit en long et en large ce que le camarade président Marien Ngouabi a fait cette journée-là alors que La Voix de la Révolution Congolaise n'est pas encore au courant de ça. Donc, le matin, notre chef de la Révolution est d'abord allé à l'université donner une leçon de physique-chimie parce qu'il aimait transmettre gratuitement ses connaissances à la jeunesse. L'après-midi il est retourné dans son bureau de président pour recevoir des gens importants, et parmi eux il y avait le cardinal Émile Biayenda qui est, comme l'ancien président Massamba-Débat, dans la liste des personnes que les nouveaux dirigeants prévoient de liquider. Le cardinal Émile Biayenda est l'archevêque de Brazzaville. Il n'a que cinquante ans, et par rapport aux autres cardinaux, il est encore jeune. La radio dit que c'est le pape Paul VI qui l'a choisi comme cardinal, et c'est la première fois que nous avons un cardinal dans notre pays. S'il s'était rendu à l'état-major pour rencontrer le camarade président Marien Ngouabi, c'est parce qu'il avait un service à lui demander : il s'inquiétait depuis un moment que le lycée Patrice-Lumumba s'agrandisse, prenne trop de place et commence même à occuper le terrain où se trouvaient les religieuses qu'on appelle les Sœurs de Javouhey. Seul le chef de la Révolution pouvait stopper cette situation, sans quoi les Sœurs de Javouhey n'allaient plus savoir où se mettre pour faire leurs prières et pour s'occuper des orphelins, des veuves et des enfants abandonnés dans la rue par leurs parents encore vivants.

Christopher Smith ajoute que le cardinal Émile Biayenda et le camarade président Marien Ngouabi n'ont pas parlé de la lettre que l'ancien président Alphonse Massamba-Débat avait envoyée deux semaines avant leur rendez-vous pour demander à notre chef de la Révolution congolaise de démissionner dare-dare, de remettre le pouvoir au peuple parce que le pays n'allait plus bien. Non, le cardinal n'était pas là pour demander le retour de l'ancien président comme on le raconte partout, surtout du côté des membres du Comité Militaire du Parti. Non, le cardinal et le chef de la Révolution n'avaient pas parlé de ça, et Christopher Smith dit qu'il y avait des témoins ce jour-là à l'état-major : la femme de Massamba-Débat, la femme du camarade président Marien Ngouabi, son beau-frère Mizelé, mais aussi le capitaine qui commande les services secrets de notre président et qui s'appelle Denis Ibara…

Quand Christopher Smith raconte maintenant comment, selon le Comité Militaire du Parti, s'est déroulé l'assassinat du camarade président Marien Ngouabi, c'est comme dans les films américains de gangsters qui passent dans les cinémas Rex et Duo et que moi je ne peux pas regarder car c'est souvent interdit aux moins de dix-huit ans, mais heureusement on nous laisse entrer si on donne notre argent de poche aux gaillards qui contrôlent les âges devant la porte. Une fois qu'on a vu les films en question on se demande pourquoi c'est interdit aux moins de dix-huit ans alors qu'on ne montre pas tout de long en large, on cache trop les femmes qui se déshabillent, d'ailleurs elles nous tournent le dos, et les baisers c'est juste pour qu'on se dise que les gens se sont embrassés car on ne voit pas les langues sortir et entrer dans les bouches. Bon, je ne vais pas trop m'attarder sur ça sinon on va encore dire que moi Michel j'exagère toujours et que parfois je suis trop impoli sans le savoir.

Christopher Smith explique que quatre hommes sont arrivés dans une Peugeot 404, le 18 mars à 14 h 10, devant l'état-major de l'armée où se trouve la résidence du camarade président Marien Ngouabi. Puisque ces quatre hommes sont habillés en tenue militaire on se dit que c'est normal, il n'y a pas à s'inquiéter, ils viennent bavarder comme d'habitude avec d'autres militaires, ils vont rigoler, s'échanger des compliments, parler de leurs femmes, de leurs maîtresses, etc. Les sentinelles à l'entrée les laissent donc passer sans vérifier. Pour arriver à la résidence du camarade président Marien Ngouabi il faut encore se présenter devant d'autres sentinelles, y compris des agents de la sécurité du président qui sont des Cubains. C'est là qu'on vérifie de très près les identités, et tous sont d'accord pour dire que c'est bien le capitaine Kikadidi qui est venu avec trois autres militaires. La Peugeot 404 s'avance maintenant vers la résidence du camarade président Marien Ngouabi qui mange avec sa famille. Le capitaine Kikadidi et les trois militaires sortent de la voiture, se dirigent vers cette résidence. C'est compliqué une fois de plus d'y entrer : il y a deux autres militaires qui barrent le chemin, l'un s'appelle Okamba, l'autre Ontsou, et ils sont nordistes comme notre chef de la Révolution. Mais le capitaine Kikadidi dit à Okamba et à Ontsou qu'il est le capitaine Motando et qu'il a été convoqué par le camarade président en personne. Okamba a des doutes parce qu'il connaît bien la vraie figure du capitaine Motando, et il est certain que ce militaire en face de lui n'est vraiment pas du tout le capitaine Motando comme il le prétend. Il laisse alors ce visiteur avec son collègue Ontsou, et il se rend vers le premier poste de garde pour ordonner qu'on dégage cette Peugeot 404 de l'intérieur de l'état-major. Pendant ce temps, le capitaine Kikadidi (qui dit être le capitaine Motando) discute avec l'agent Ontsou qui, lui, est en fait dans le secret des choses. Il autorise le capitaine Kikadidi (alias le capitaine Motando) à s'installer dans la salle d'attente pendant que quelqu'un ira annoncer au camarade président Marien Ngouabi que le capitaine Motando qu'il a convoqué vient d'arriver.

Quand on lui parle de cette visite, le camarade président Marien Ngouabi est étonné, il répond que ce type qu'il vient d'apercevoir depuis la salle à manger n'est pas le capitaine Motando, c'est plutôt le capitaine Kikadidi, et en principe ce Kikadidi n'est plus capitaine, c'est un ancien capitaine. Le camarade président Marien Ngouabi décide d'aller régler lui-même l'affaire, et donc d'engueuler l'agent Ontsou qui discute avec les trois militaires venus avec le capitaine Kikadidi (alias le capitaine Motando). Dès que ces militaires inconnus voient arriver le président vers eux, ils se lèvent, font semblant de se mettre au garde-à-vous, mais notre chef de la Révolution remarque le bout d'un pistolet caché dans la tenue de l'un d'entre eux. Le président Marien Ngouabi lui ordonne de lui remettre cette arme, le militaire refuse d'obéir. Alors, le chef de la Révolution essaie de la lui arracher, et c'est la bagarre qui commence sur place ! Comme le président Marien Ngouabi n'est pas n'importe qui, il réussit vite, avec sa technique apprise à Saint-Cyr, à s'emparer du pistolet du type, et paf ! paf ! il abat les deux autres inconnus. Celui qu'il a désarmé s'enfuit, ignorant que notre président est un sportif capable de battre les Noirs américains à la course. Il le poursuit à la vitesse d'une sagaie, et c'est pendant cette course qu'on entend des rafales, puis des rafales encore, puis d'autres rafales en pagaille. Or ce n'est pas le camarade président qui tire, mais quelqu'un d'autre. Et ce quelqu'un d'autre c'est Ontsou, son agent de sécurité qui est dans le secret des choses. Ontsou a déjà abattu deux de ses collègues qui essayaient d'aider notre chef de la Révolution. Pendant ce temps, le capitaine Kikadidi (alias le capitaine Motando) a disparu…

Christopher Smith se tait quelques secondes, puis il précise plusieurs fois que ce qu'il vient de raconter c'est la version du Comité Militaire du Parti qui veut prouver que c'est l'ancien président de la République, Alphonse Massamba-Débat, qui a manigancé ce coup d'État dirigé par le capitaine Kikadidi avec la complicité de la garde présidentielle dans le but de revenir au pouvoir, lui et les Sudistes.

La journaliste lui demande quelle est l'autre explication de cet assassinat. Il lui répond que cette autre explication qu'il trouve authentique vient directement de la bouche du fils du président, Marien Ngouabi Jr., et qu'il va à présent nous la livrer…

Marien Ngouabi Jr.

Marien Ngouabi Jr. était présent au moment de l'assassinat de son père, il a donc tout vu, il a même essayé de protéger notre chef de la Révolution car il ne comprenait pas que l'agent de sécurité Okamba, qui pourtant était là, n'ait aucune réaction. Mais Marien Ngouabi Jr. n'a que quatorze ans, il ne sait pas encore bien utiliser un pistolet. Son rêve était d'aller à Cuba, de s'entraîner là-bas avec les militaires cubains et de revenir à Brazzaville pour protéger son papa président.

Marien Ngouabi Jr. mangeait à table avec son père qui lui expliquait le cours de physique-chimie qu'il avait enseigné à l'université le matin. Si l'enfant quitte la table avant tout le monde c'est parce qu'il fait chaud et qu'il veut se baigner dans la piscine comme la plupart des enfants des présidents du monde entier. Sur son chemin vers la piscine il remarque que les gens se comportent de façon bizarre : l'agent de sécurité Ontsou est près de quelqu'un qui a des grades de capitaine avec un béret rouge et une arme. Il ne peut pas dire si ce militaire est le capitaine Kikadidi ou bien le capitaine Motando comme prétend aujourd'hui le Comité Militaire du Parti sans montrer des preuves.

Marien Ngouabi Jr. ne reconnaît pas le capitaine Kikadidi (ou le capitaine Motando), il voit ce type pour la première fois dans l'état-major.

Il demande aux trois militaires qui accompagnent ce capitaine :

– Qu'est-ce que vous voulez ?

L'un d'eux répond :

– On veut voir ton papa, c'est très urgent...

Marien Ngouabi Jr. est rassuré, il croit maintenant qu'ils sont là pour préparer la fête du 19 mars qui est l'anniversaire de l'accident qu'avait eu le camarade président Marien Ngouabi dans un hélicoptère. Marien Ngouabi Jr. fait confiance aux agents Okamba et Ontsou, il les croise tous les jours, il voit comment ils barrent la route aux ennemis qui cherchent à assassiner son papa. Mais la résidence est trop calme cet après-midi du 18 mars 1977. Marien Ngouabi Jr. demande donc à Okamba et à Ontsou pourquoi ils ne sont que deux à garder son papa alors qu'il y a le plus souvent quatre à cinq militaires à cet endroit. Ils lui répondent que tout est normal, il ne faut pas s'inquiéter pour rien, personne ne peut atteindre le camarade président Marien Ngouabi tant qu'ils seront là pour le protéger, même s'ils sont à deux, même s'il n'y a qu'un d'entre eux.

Marien Ngouabi Jr. se retourne et découvre une Peugeot 404 garée à l'intérieur, un peu plus loin. Il pense que ça fait partie de la sécurité de son papa, et c'est bien car si quelque chose de grave arrive au chef de la Révolution, au moins le camarade président et sa famille pourront utiliser le véhicule, vite s'enfuir et aller se cacher quelque part, peut-être à l'ambassade de France.

Au lieu de se rendre à la piscine comme prévu, Marien Ngouabi Jr. se dit qu'il va plutôt jouer à la balançoire et, quelques minutes seulement après le début de son jeu, il entend du bruit un peu plus loin, dans son dos, et il se retourne : c'est le camarade président

Marien Ngouabi qui est en train de se battre avec les militaires inconnus qu'il a vus tout à l'heure !

Marien Ngouabi Jr. crie au secours :

– La garde ! La garde ! Attrapez-les !

Lui-même court vers les bagarreurs et, sur son chemin, il tombe sur un des trois militaires inconnus en train de s'enfuir. Même s'il ne sait pas tirer avec un pistolet, Marien Ngouabi Jr. peut conduire une voiture. Il entre donc dans le véhicule, mais l'agent Okamba vient à toute vitesse vers lui :

– Junior, laisse, je m'en occupe personnellement…

Marien Ngouabi Jr. ne l'écoute pas, il n'a plus confiance en personne, il allume le moteur, il fait la marche arrière, et c'est là qu'il entend paf ! paf ! paf ! paf ! paf ! paf !

Il sort de la voiture, revient vers le poste de sécurité, mais tous ceux qui travaillent dans l'état-major sont également en train de fuir, on dirait qu'ils n'ont jamais été payés et que leur métier n'était pas de mourir pour le camarade président Marien Ngouabi. Dans leur fuite, certains laissent par terre leur arme, d'autres leur tenue militaire pour qu'on ne sache pas qu'ils sont dans l'armée une fois qu'ils seront dans la rue.

Marien Ngouabi Jr. veut sauver son papa, il prend un PMAK. Christopher Smith jure que si on tire avec ça, c'est comme à la guerre mondiale.

Marien Ngouabi Jr. fait le tour de la résidence, son arme à la main. Il arrive sur le terrain où il joue souvent au foot avec ses frères et leurs amis. Et là, c'est trois corps qu'il découvre devant lui, étalés par terre ! Y en a un qui n'est pas encore mort, Marien Ngouabi Jr. l'abat pour de bon, paf ! paf ! paf !...

Il continue d'avancer, toujours l'arme à la main. Il cherche son papa qu'il ne trouve nulle part alors qu'il connaît la résidence comme sa poche.

Il revient vers l'agent Ontsou, toujours l'arme à la main, lui demande où est son papa président.

Ontsou lui dit :

– Ton père est là-bas...

Ontsou montre du doigt la direction de l'escalier à l'entrée de la résidence. De loin, Marien Ngouabi Jr. aperçoit un corps près des marches. Il se dit que c'est un de ces militaires inconnus qui a été abattu par son père. Il arrive à proximité du corps, se courbe pour le détailler. Il reconnaît immédiatement son père, qui est déjà parti dans le pays des décédés alors que personne ne le sait encore dans tout le pays, sauf ceux qui l'ont assassiné et qui maintenant ont disparu dans les quartiers de Brazzaville, certains en train de boire de la bière cravatée dans les buvettes pour fêter leur victoire.

Marien Ngouabi Jr. essaie de soulever le cadavre de son papa, mais même si le camarade président Marien Ngouabi était petit de taille, il est lourd, on dirait qu'il y a maintenant trois ou quatre autres personnes dans son corps.

Quand Marien Ngouabi Jr. regarde ce cadavre il ne peut pas croire que c'est son papa qui mangeait avec lui à table trente minutes avant. Il se penche encore : la bouche et la mâchoire du camarade président Marien Ngouabi sont bousillées, ses dents sont éparpillées partout dans un sang très rouge, plus rouge que la couleur du drapeau de cette Révolution socialiste congolaise qu'il a lui-même créée...

La photo du camarade président

Papa Roger me demande d'aller à la boutique *Au cas par cas* et, comme d'habitude, de lui prendre une bouteille de rouge et du tabac. La mort du camarade président Marien Ngouabi et la mort de l'oncle Kimbouala-Nkaya n'ont donc pas changé son comportement.

Dès qu'il s'est réveillé ce dimanche, il s'est mis sous le manguier, je l'ai rejoint, et nous n'avons fait qu'écouter la radio alors que je croyais qu'il allait commenter de long en large la visite d'hier de Tonton René qui nous a ramené les oncles Kinana et Moubéri. Est-ce que c'est parce qu'il ne faut pas trop parler de tout ça dehors à cause des espions qui sont partout comme des fourmis et qui risquent de rapporter à gauche et à droite que nous sommes de la famille de l'oncle Kimbouala-Nkaya ?

Au cas par cas est vide, il n'y a que Mâ Moubobi et moi dedans. Elle est en train de tricoter un pull-over rouge trop petit pour elle. Et puis, je me dis que ce n'est pas pour elle, c'est certainement pour Olivier.

La photo du camarade président Marien Ngouabi est encore derrière Mâ Moubobi. Elle est maintenant un peu penchée, et quand je la regarde de près c'est comme si notre chef de la Révolution était très triste parce qu'il sait que bientôt ce n'est plus lui qui sera accroché dans ce magasin, mais un autre président qui se trouve parmi les onze membres du Comité Militaire du Parti. Cette photo est donc en train de vivre ses derniers jours, et elle refuse qu'on l'enlève de là, elle préfère mille fois tomber d'elle-même du mur et ne pas voir quand on la remplacera. Mâ Moubobi devra également changer ses paroles, surtout le nom du président quand elle dira aux clients qui jurent de payer plus tard :

– Tu as intérêt à payer à la date que tu m'as donnée, le camarade président Marien Ngouabi qui est derrière moi est témoin, et il te regarde… Regarde-le toi aussi avant que je ne te donne la marchandise.

Si elle dit la même chose qu'avant, les clients lui répondront :

– On s'en fout, le camarade président Marien Ngouabi est mort, il ne sera plus là pour vérifier qu'on a payé ou pas !

Je suis sûr qu'elle va changer le nom du président, et j'espère pour elle que ce nouveau nom-là sera facile à prononcer car, hier quand j'ai entendu Tonton René citer les noms de ces membres du Comité Militaire du Parti comme Joachim Yhombi-Opango ou Denis Sassou-Nguesso, je me suis dit que ce n'était pas des noms faciles à se souvenir et à prononcer comme Marien Ngouabi. En fait, dans ce Comité Militaire du Parti, les noms les plus simples à attraper c'est Pierre Anga, Nicolas Okongo, Pascal Bima et aussi Jean-Michel Ebaka. Aucun d'entre eux ne deviendra président de la République, non seulement à cause de la simplicité de leurs noms mais parce qu'ils ne font peur à per-sonne, ils ne sont là que pour la forme, comme dit Papa Roger, puisque les membres les plus importants sont le colonel Joachim Yhombi-Opango et le commandant Denis Sassou-Nguesso, le président et le vice-président de ce Comité Militaire du Parti qui a juré de tout faire pour punir les assassins du camarade président Marien Ngouabi et aussi leurs complices. Or du nord au sud, de l'est à l'ouest, même à la radio des Américains, tout le monde sait qu'il ne faut pas chercher très loin les assassins et les complices puisqu'ils ont pris le pouvoir et figurent parmi les onze membres de ce Comité Militaire du Parti.

– Eh toi, le fils de Pauline Kengué ! Tu m'entends ? Tu rêves encore ou quoi ? Qu'est-ce que je te sers aujourd'hui ? La même chose ?

Mâ Moubobi a arrêté son tricotage, elle me regarde droit dans les yeux. Elle a l'air de ne pas avoir dormi depuis avant-hier à 14 h 30. Ses yeux ressemblent à deux énormes globules rouges, mais je dois me rappeler aussi que Maman Pauline interdit de se moquer de la grosseur car ça vient quelquefois de la maladie ou des mauvais esprits qui sont jaloux de l'argent que gagne quelqu'un dans sa boutique.

– Oui, Mâ Moubobi, la même chose, mais aujourd'hui pas de courses de Maman Pauline…

Elle met dans un sachet le vin de mon père et son tabac à mettre dans le nez.

– Ne perds pas la monnaie !

– Non, Mâ Moubobi…

Pendant que je suis en train de sortir de la boutique, je l'entends murmurer derrière moi :

– Les gens sont vraiment des cons, ils ne viennent plus dans ma boutique parce qu'ils croient que le couvre-feu c'est même dans la journée ! Et moi je vais gagner comment ma vie, hein ?

Les perturbateurs

Des soldats sont agrippés au-dessus et sur les côtés de ces gros camions qui avancent à la queue leu leu, les phares allumés. D'habitude nous ne voyons des automobiles avec des lumières en plein jour que pendant les enterrements, et ce sont les corbillards.

Je me dis donc que ces camions sont aussi des corbillards, surtout qu'ils sont tout noirs et tout neufs avec leur capot rouge. Ce qui fait fuir les gens c'est le bruit venant de l'intérieur. Des hommes, des femmes, et même des enfants qui hurlent de douleur quand les militaires les frappent, leur donnent des ordres comme s'ils parlaient à Mboua Mabé :

– Couché ! Couché ! J'ai dit couché !

Ces pauvres gens coincés dans ces camions sont appelés les « perturbateurs » ou alors les « valets locaux de l'impérialisme ». C'est ce qu'on a écrit dans le journal d'aujourd'hui : « *les perturbateurs, les valets locaux de l'impérialisme seront arrêtés, jugés et mis en prison* ». Mais tout le monde voit que la plupart de ces camions militaires vont vers le cimetière Mont-Kamba et non du côté de la Maison d'arrêt de Pointe-Noire. Les deux directions sont opposées comme la nuque et le nez…

Il arrive que ces militaires se rendent compte qu'ils ont fait une erreur sur les perturbateurs ou les valets locaux de l'impérialisme à capturer, c'est trop tard, ils ne s'excuseront pas, ils ont déjà donné des coups sur le crâne, ils ont déjà marché sur les orteils de ces malheureux, et les camions font demi-tour, repassent devant les parcelles de ces pauvres gens qu'ils jettent dehors comme des sacs de patates avant de continuer leur route à la recherche de vrais perturbateurs dénoncés par les voisins.

Il y a désormais une section du Comité Militaire du Parti dans chaque quartier. On peut aller y dénoncer les perturbateurs ou les valets locaux de l'impérialisme et toucher un peu d'argent...

L'étoffe noire

Depuis que je suis sorti de la boutique *Au cas par cas*, j'ai vu passer au moins vingt-cinq ou trente camions militaires.

Au lieu de vite retourner à la maison, je prends une rue qui n'a pas de nom, avec la monnaie bien serrée dans la main droite et le sachet dans la main gauche.

Il y a un nouveau type de commerce partout : des enfants vendent dans les rues des étoffes noires à mettre autour du bras pour montrer qu'on est en deuil. Tout le monde en a, et je me dis qu'il faut que j'en achète une pour être tranquille au cas où un camion militaire passerait à côté de moi et remarquerait que je ne respecte pas le camarade président Marien Ngouabi. L'étoffe en question coûte vingt-cinq francs comme le tabac de Papa Roger. Si j'en achète, mon père ne sera pas fâché, au contraire il se dira que je n'ai pas oublié que j'étais et que je reste une cigogne de la Révolution socialiste congolaise.

Les vendeurs d'étoffes noires sont tellement nombreux que je ne sais pas chez qui je vais en prendre. Je m'arrête devant l'un d'eux qui est pieds nus avec un ventre ballonné. Il me fait pitié car, à voir comment ses lèvres sont sèches, j'imagine qu'il n'a pas mangé au minimum depuis avant-hier à 14 h 30. Pour lui, c'est un grand bénéfice que le camarade président Marien Ngouabi soit mort, il peut maintenant se faire de l'argent, manger, et peut-être aussi acheter des savates pour ne plus marcher pieds nus. Malgré mes bonnes pensées, d'un autre côté je me demande où il trouve ces étoffes. Dans tout commerce, c'est le commerçant qui achète la marchandise en gros pour la vendre au détail comme Maman Pauline le fait avec ses régimes de bananes. Je comprends vite ce qui se passe dès que j'aperçois à quelques mètres de ces enfants commerçants des gaillards qui les surveillent. C'est les mêmes gaillards qui font les caïds dans les marchés de Pointe-Noire et qui arrachent les sacs à main des femmes du côté du pont de Voungou ou de Comapon. C'est eux les fournisseurs, les petits maigrichons ne font que vendre et toucher un bénéfice très minuscule comme le caca d'un moineau. En plus, puisque ces gaillards voient tout de là où ils sont, si tu n'achètes pas leur marchandise ils vont te suivre à distance et te donner des coups de poing dans la figure comme si tu étais un complice des assassins du camarade président Marien Ngouabi.

Je tends une pièce de vingt-cinq francs à l'enfant au ventre ballonné. Il regarde la pièce et me dit :

– Non, je prends pas ça !

Les gaillards nous surveillent, je dois faire attention à mon comportement. Je parle d'une voix gentille, je souris aussi, comme ça ces gaillards se diront que les choses se passent bien entre nous et que nous nous connaissons bien tous les deux :

– Pourquoi tu ne prends pas ça, c'est pourtant une jolie pièce, en plus elle ne sent pas mauvais comme l'argent que les femmes mettent dans leur soutien-gorge et…

– Non, je prends pas ça, point à la ligne !

– Mon frère, c'est une pièce de vingt-cinq francs, regarde bien tu verras que…

– Non, je prends pas ça ! Je ne suis pas ton frère ! Ce que je vends là, ça coûte cinquante francs maintenant !

Il veut me voler alors que sur sa pancarte par terre c'est écrit que l'étoffe noire coûte vingt-cinq francs.

Je le laisse là, je vais vers un autre enfant qui a un ventre normal. Il porte une chemise avec une seule manche, l'autre n'existe plus, il n'y a que quelques traces qui montrent qu'elle a peut-être été arrachée dans une bagarre.

Je lui donne ma pièce de vingt-cinq francs.

– Non, je prends pas ça !

– Mon frère, pourquoi toi aussi tu ne prends pas ça ?

– Je ne suis pas ton frère ! Ce que je vends là, ça coûte soixante francs maintenant !

– Mais ça coûtait d'abord vingt-cinq francs, puis ça coûtait cinquante francs, et maintenant ça coûte soixante francs ?

– Si tu blagues trop avec moi, ça va coûter cent francs et quelques !

– Jamais moi Michel, fils de Kengué Pauline et de Kimangou Roger, je vais acheter ce tissu noir pour cent francs ou cent francs et quelques !

– Ok, c'est pas grave alors, va dire ça aux gaillards là-bas, c'est eux qui vont te vendre ça avec des gifles en cadeau…

Je retourne chez l'enfant au ventre de ballon de rugby, c'est mieux d'acheter ça à cinquante francs qu'à soixante. Eh bien, il a aussi changé d'avis, il me dit d'aller acheter chez son ami à la chemise déchirée par la bagarre. Et quand je me pointe de nouveau devant son ami, le prix est maintenant à cent francs !

Je n'ai pas envie de patoiser encore avec eux, j'achète finalement, et je continue ma route. De loin, les gaillards ricanent car après moi d'autres personnes sont en train d'acheter à vingt-cinq francs, et il y en a qui débattent ce prix, partent avec ça en payant quinze francs seulement.

Je mets mon étoffe noire autour du bras, et je me dis que le camarade président Marien Ngouabi sera content de moi car j'ai acheté ça plus cher que tout le monde. Et puis, il sera aussi très content de moi parce que, alors que les gens croient qu'il est mort pour de bon, moi je me dis qu'il est en train d'apprendre à voler *au-dessus des têtes des gens comme les cigognes blanches qui sont en fait des soldats russes ayant laissé leur vie sur des champs de bataille inondés de sang...*

Quartier Mouyondzi

Pour arriver dans le quartier Mouyondzi j'ai pris cette autre rue qui n'a pas de nom. Si elle n'a pas de nom c'est pas de sa faute, c'est parce que, comme la plupart des rues de cette catégorie, elle n'est pas goudronnée, on se fout d'elle, c'est de la poussière partout, et quand les camions passent il faut se boucher le nez et fermer la bouche, autrement la saleté entre directement dans les poumons et te rend malade. Je ne pouvais pas changer de chemin sinon ça allait me prendre au moins une heure, et quand je calcule tout ça, je suis content parce que j'ai gagné du temps : depuis la boutique de Mâ Moubobi jusqu'ici, ça ne m'a pris que trente minutes.

Ici les gens jettent les poubelles où ils veulent, et c'est pour ça que les chiens de Pointe-Noire sont contents et croient que c'est leur pays. La première poubelle devant moi est une vraie montagne avec des enfants et des chiens qui se disputent les ordures, et ce n'est pas loin de la maison de mes camarades du collège, les frères Moubembé, Paul le grand frère, et Placide le petit frère. Placide est dans la même classe que moi, et en plus on a le même âge parce qu'on n'a jamais redoublé depuis l'école primaire, donc on va tout faire pour ne pas redoubler jusqu'au lycée, et pourquoi pas jusqu'à l'université.

Il y a des chiens à gauche et à droite. Ils sont tout maigres alors que ce n'est pas la nourriture pourrie qui manque. J'entre moi aussi dans cette poubelle, je regarde de près chaque chien. Ces animaux sont tellement concentrés à bouffer qu'ils ne s'occupent pas de moi.

Je me suis trop avancé : trois chiens aboient en croyant que je vais arracher l'os qui cause la bagarre entre eux alors que moi Michel je ne suis pas là pour ces petites querelles. Je recule d'un pas, puis de deux, et je me mets bien de côté. Qu'est-ce que je vois ? Eh bien, parmi ces trois chiens méchants il y en a un qui ressemble vraiment à Mboua Mabé. J'avance encore d'un pas, puis de deux pour bien regarder. Mon Dieu ! Voilà ! C'est lui ! C'est lui ! Il est tout noir et tout maigre ! C'est Mboua Mabé ! Je ne peux pas me tromper ! Je suis trop heureux ! J'ai envie de crier trois fois comme à l'église Saint-Jean-Bosco : Merci Seigneur ! Merci Seigneur ! Merci Seigneur !

Je laisse mon sachet sur un tas d'ordures, je fonce vers mon chien, mais les deux autres aboient parce qu'ils pensent que je vais diminuer la quantité de leur nourriture.

J'avance et je crie très fort :

– Mboua Mabé ! Mboua Mabé ! Mboua Mabé !

Au moment où je ne suis plus qu'à deux petits mètres de lui, il me montre ses dents pointues, dresse ses poils, et se prépare à bondir sur moi comme si j'étais son ennemi dans la guerre du Biafra.

Non ! Non ! Non ! Je comprends tout de suite que ce n'est pas mon chien, que ce n'est pas Mboua Mabé. En plus celui-là n'est pas tout noir comme je le pensais en le voyant de loin. Il a des poils marron sur chaque patte et il porte une chaînette autour du cou.

Je commence à courir, mais j'entends le chien qui me poursuit. Je regarde derrière moi : il s'est arrêté devant le sachet que j'ai oublié de reprendre. Il le retourne dans tous les sens avec ses griffes, avec sa gueule, et le déchire. Il est déçu par ce qu'il découvre et, comme c'est impossible de manger une bouteille de vin rouge, il s'attaque au tabac de Papa Roger et le broie comme si c'était un os normal. Malheureusement pour lui ce tabac-là c'est pour les êtres humains, et il se met à éternuer. C'est vraiment la première fois que je constate que les chiens aussi éternuent. Plus il éternue, plus d'autres chiens viennent l'entourer et aboyer comme s'ils lui demandaient : « Mais qu'est-ce que tu as ? Qui t'a fait ça ? Dis-nous et on va s'en occuper ! »

Moi je ne peux pas repartir comme ça et laisser le vin de mon père au milieu de ces animaux. Si quelqu'un passe par là il sera content de le ramasser et de le boire gratuitement parce que tout ce qui est dans une poubelle appartient à celui qui le trouve. Alors je prends plusieurs pierres et je les lance vers ces chiens. Ils s'éparpillent, mais ils reviennent aussitôt autour du sachet dès qu'ils ont esquivé la pierre. Je me dis qu'il faut que j'aille chez Paul et Placide Moubembé, ils vont m'aider, et je me mets à courir comme un fou…

Quand j'arrive dans la parcelle des Moubembé, je trouve Placide en train de lire les aventures de Tarzan comme d'habitude. Il m'apprend que son grand frère est parti au centre-ville avec leur père qui doit lui acheter des chaussures Salamander.

Je lui explique mon malheur avec les chiens, et lui il rigole :

– Tu as vraiment peur des chiens comme ça ? Ah ! Ah ! Ah ! Allons-y, tu vas voir comment ils vont être paniqués rien qu'en me voyant, moi Placide Moubembé !

Nous sommes des amis depuis l'école primaire, et j'aime bien comment parfois il montre qu'il est courageux. Même s'il est petit de taille, son coup de poing peut te mettre demi-mort parce que, comme il le dit souvent, c'est pas la taille qui donne la force mais la concentration au moment où on frappe. Il a souvent rêvé d'être Tarzan, moi je sais que c'est impossible car dès qu'il essaye de se balancer dans les arbres il tombe toujours et, pour se soigner, il est obligé d'utiliser de la graisse de boa. Quand il chute je ne peux pas trop rigoler sinon il ne me prêtera plus ses aventures de Tarzan. Placide aussi, comme Tarzan, rêvait d'être adopté par les orangs qui ressemblent presque aux humains, et il voulait vivre avec eux. Il ne supporte pas que dans la plupart des films qu'on voit aux cinémas Rex et Duo on fasse parler Tarzan à la manière d'un sauvage alors qu'il y a plus de sauvages chez les hommes que chez les orangs. D'ailleurs les orangs en question sont gentils puisqu'ils ont recueilli Tarzan à la mort de ses parents qui s'étaient retrouvés avec lui dans notre jungle africaine…

Nous voici avec Placide devant la poubelle que j'ai quittée tout à l'heure. Les chiens sont encore autour de la bouteille de vin de Papa Roger. Placide prend un bâton et s'avance vers eux. Dès qu'ils le voient arriver, ils baissent leur museau pour le respecter, puis ils s'éloignent de là les uns après les autres.

Placide est tout fier, il ramasse la bouteille de vin rouge :

– Tiens, la prochaine fois ne provoque pas ces chiens. Moi ils me connaissent bien parce qu'ils savent que j'aime les animaux…

Je lui explique que je cherche Mboua Mabé qui a disparu dès qu'il avait entendu dans notre radio Grundig :

« *L'impérialisme aux abois dans un dernier sursaut vient par l'entremise d'un commando-suicide d'attenter lâchement à la vie du dynamique chef de la Révolution congolaise, le camarade Marien Ngouabi, qui a trouvé la mort au combat, l'arme à la main, le vendredi 18 mars 1977, à 14 h 30...* »

Il m'arrête tout de suite :

– Arrête de me réciter ça ! Et ne prononce plus le nom du camarade président Marien Ngouabi dans la rue ! Tu veux être arrêté par la police ou quoi ? Est-ce que tu es au courant qu'on a même tué un capitaine qui s'appelle Kimbouala-Nkaya et qui est de l'ethnie de ta mère, hein ?

Là, sans réfléchir, je lui réponds avec fierté :

– Bien sûr que je suis au courant puisque Kimbouala-Nkaya était mon oncle ! Ce sont les Nordistes qui l'ont tué, mais il est devenu une cigogne, et moi je sais que les cigognes sont immortelles...

– Ah ! Ah ! Ah ! Tu n'as pas changé, vraiment ! Kimbouala-Nkaya était ton oncle à toi ?

– Je te jure ! D'ailleurs deux de mes oncles que je ne connaissais pas sont venus de Brazzaville, ils ont fui cette ville et...

– Arrête, s'il te plaît !

– Pourquoi tu ne me crois pas alors que je...

– Parce que tu me prends pour un idiot, Michel ! Ce capitaine Kimbouala-Nkaya n'est pas ton oncle, sinon les militaires auraient déjà arrêté tes parents pour les tuer aussi ! Tout ça c'est dans ta tête que ça se passe, comme d'habitude. Michel, tu rêves trop ! Tu as un problème ! Et puis, ces histoires de cigognes, ça n'existe que dans les chansons soviétiques qu'on chantait à l'école primaire !

Moi je me dis : Qu'est-ce qui m'a pris de lui dévoiler que le capitaine Kimbouala-Nkaya est mon oncle alors que Tonton René nous avait demandé d'être discrets ?

Je change vite de sujet pour effacer mon idiotie et éviter qu'il me pose trop de questions sur mon oncle :

— Tu sais, Placide, mon chien Mboua Mabé que tu connais…

— Il est parmi ces chiens-là ?

— Non, il a disparu depuis qu'il a appris la nouvelle de l'assassinat du camarade président Marien…

— Ne prononce pas le nom du camarade président Marien Ngouabi dans la rue !

— Je veux dire, mon chien a disparu, et je le cherche partout parce que…

— Eh bien c'est pas ici qu'il faut le chercher, ton chien ! Les chiens sont comme nous, ils restent dans leur quartier. S'il vient ici, les autres vont lui faire la bagarre et vont le blesser à mort ! Cherche donc dans ton quartier là-bas, vers les poubelles de la rivière Tchinouka, par exemple…

Comme il comprend que je ne le crois pas, il me dit :

— Tu as un autre problème qui te bloque le cœur, Michel, ça se sent…

— Non, ça va, je te jure, Placide.

— Ça ne va pas, je te connais !

Alors, je lui dis la vérité :

— En fait, là je crois que Papa Roger va m'engueuler : je viens de perdre sa monnaie…

— Quoi ? Comment tu as perdu ça ?

Je lui montre mon bras :

– J'ai pris cent francs pour acheter cette étoffe noire que je porte, et son tabac a été mangé par un de ces chiens qui ont peur de toi…

Il me regarde des pieds à la tête :

– Quand est-ce que tu vas changer ? Ton père t'avait donné combien ?

– Un billet de cinq mille francs CFA qui était propre et pas froissé…

Il sort de ses poches un billet de cinq mille francs CFA, mais il est sale et froissé.

– Tiens, tu me rembourseras ça quand tu pourras…

– Où tu as eu ça ?

– J'ai vendu mes aventures de Tarzan au vieux qui a la librairie par terre devant le cinéma Rex…

– Ah non, je ne peux pas prendre cet argent et…

– Tu préfères donc être engueulé par Papa Roger ? Tu as d'abord perdu son tabac, puis tu as utilisé son argent sans lui demander la permission, et, après ça, tu as perdu sa monnaie, ça fait beaucoup, Michel…

Il prend la bouteille de vin de mes mains.

– Je vais la garder, tu iras en acheter une autre avec l'argent que je viens de te donner, comme ça on te rendra la même monnaie et ton père ne saura rien. Et puis, arrête de faire le fier partout en racontant que le capitaine Kimbouala-Nkaya était ton oncle et qu'il s'est transformé en cigogne blanche ! On peut arrêter tes parents rien qu'à cause de ces mensonges qui sortent normalement de la bouche des perturbateurs !...

Le billet sale

Mâ Moubobi est surprise de me revoir entrer dans sa boutique :

— Encore le fils de Kengué Pauline ? Je ne t'ai pas rendu la monnaie comme il faut ?

Je lui dis que j'avais oublié que mon père voulait deux paquets de tabac et deux bouteilles de vin.

Je lui donne le billet de cinq mille francs CFA qu'elle regarde avec la figure de celle qui a beaucoup de doutes ou qui croit que je lui tends un piège.

— Et pourquoi tu as un autre billet alors que tu avais déjà la petite monnaie que je t'ai rendue et qui pouvait suffire à me payer maintenant ? En plus ton père a toujours des billets neufs !

Sans bien réfléchir, je réponds :

— Oui, mais il a préféré me donner ce billet parce qu'il est trop sale, il n'en voulait plus et...

— Quoi ? Qu'est-ce que tu me racontes, petit ? Donc Roger pense que ma boutique c'est là où on paye avec des billets sales comme ça ?

Elle balance sur le comptoir la bouteille de vin et le paquet de tabac :

— Tu diras à ton père que la boutique de Mâ Moubobi n'est pas comme ces poubelles où se retrouvent les chiens de Pointe-Noire ! Et si tu ne le lui dis pas, je viendrai chez vous le dire moi-même !...

C'est non

Maman Pauline est en train de balayer la cour. Elle porte un foulard noir sur la tête. Elle a donc décidé malgré tout d'être en deuil alors que Tonton René et Papa Roger ne veulent pas de ça sinon on risque d'être questionnés dans le quartier et d'avoir des ennuis quand on apprendra que nous sommes de la même famille que le capitaine Kimbouala-Nkaya. Mais d'un autre côté on ne peut pas dire que porter un foulard noir c'est pour un deuil puisqu'il faut vraiment être en noir des pieds à la tête et raser ses cheveux à la mode boule à zéro. Or Maman Pauline a mis un pagne sur lequel sont dessinés des oiseaux en groupes avec des plumes de toutes les couleurs. Ces oiseaux-là ne sont pas des cigognes blanches, mais des hirondelles qu'on voit partout et qui font leurs nids dans les toits des bâtiments du collège des Trois-Glorieuses. Je regrette un peu que sur le pagne de ma mère ces oiseaux ne soient pas des cigognes blanches, les hirondelles sont des bavardes qui ne savent pas voler avec élégance. Elles passent leur temps à lâcher leurs excréments sur les habits des gens qui sont obligés de vite les laver avec du savon Monganga, sans quoi les taches resteront pour toujours. Beaucoup à Pointe-Noire croient que si une hirondelle balance ses excréments sur leur tête ils auront de la chance, et ils courent à la Loterie Nationale Congolaise pour jouer et espérer gagner des millions. C'est pour cela d'ailleurs qu'il y a des imbéciles qui se mettent au garde-à-vous en bas des nids d'hirondelles et attendent qu'elles chient sur eux alors que parfois elles n'ont pas envie de faire leurs besoins et qu'elles sont simplement en train de jouer entre elles, surtout leurs enfants qui ne savent pas encore voler et bavarder. La chance, il ne faut pas la forcer, c'est un joyeux accident, et c'est le seul accident que chacun de nous se souhaite…

D'après la tête que fait Maman Pauline, je suis sûr qu'elle n'a pas encore parlé à Papa Roger depuis ce matin et qu'elle est de mauvaise humeur à cause de leur dispute de la nuit sur cette histoire de cheveux à raser. Mon père sait qu'il ne faut pas la pousser à parler car ce qui sortira de sa bouche sera plus dangereux que le venin de la vipère. Et si elle s'énerve, toute cette journée sera foutue pour de bon dans cette maison, on risque encore de ne rien manger comme la dernière fois, même si on avait été sauvés au dernier moment par la mauvaise nouvelle de la mort du camarade président Marien Ngouabi, l'arrivée de Tonton René et des oncles Kinana et Moubéri. Quand je dis qu'on a été sauvés c'est une façon de parler puisqu'il y avait vraiment un paquet de mauvaises nouvelles dans la mallette de Tonton René…

Je rejoins Papa Roger sous le manguier. Il ne voit pas que j'ai déposé sa bouteille de vin juste à côté. J'écoute avec lui ce que raconte La Voix de la Révolution Congolaise. C'est une radio qui est tout le temps hors sujet : au lieu de parler en long et en large de la mort du camarade président Marien Ngouabi et de dire aussi quelque chose sur le capitaine Kimbouala-Nkaya, elle annonce les nouvelles de l'étranger. Elle dit qu'en France on vient d'élire un nouveau maire de la ville de Paris, et que le monsieur en question s'appelle Jacques Chirac. Il paraît que c'est un homme bien, intelligent, que c'est grâce à lui que le président actuel des Français, Valéry Giscard d'Estaing, est devenu président. Pour le remercier, ce président l'avait bombardé Premier ministre en 1974. Mais ce Chirac n'est resté Premier ministre que pendant deux ans, il avait ses propres plans comme tous les gens intelligents de sa catégorie.

La Voix de la Révolution Congolaise dit que ce Jacques Chirac est un magicien de la politique et qu'il est capable de faire rater les élections aux autres candidats. Je ne sais pas où nos journalistes vont trouver des secrets de cette grosseur. Ils disent même que quand Tonton Pompidou est mort, il y a trois ans, c'était la pagaille en France. On était au courant de sa maladie, mais on se disait qu'il irait au moins jusqu'à la fin de son travail. Eh bien non, il est mort comme ça, et il fallait changer de président. Normalement c'est le Premier ministre, Pierre Messmer, qu'il fallait soutenir pour remplacer le défunt Tonton Pompidou, mais ce Jacques Chirac, avec son intelligence que vante depuis trente minutes La Voix de la Révolution Congolaise, a viré du côté du camp de Valéry Giscard d'Estaing, le ministre des Finances, qui avait très envie d'être président. Donc c'est bien grâce à ce Jacques Chirac que les Français ont aujourd'hui comme président Valéry Giscard d'Estaing. Mais attention, ce Jacques Chirac a fait beaucoup de choses bien, et les Français en profitent encore sans lui dire merci, continue La Voix de la Révolution Congolaise. Il paraît que c'est grâce à lui que les chômeurs ont un endroit où ils s'inscrivent pour chercher du travail, l'Agence Nationale pour l'Emploi. Chez nous il n'y en a pas, comme si on n'avait pas, nous aussi, des chômeurs.

Quand j'écoute tout ça, je me demande pourquoi quelqu'un qui était Premier ministre s'agite aujourd'hui pour être le maire de Paris alors que Premier ministre c'est un poste plus important que maire d'une ville. Je me demande encore et encore pourquoi notre radio nationale donne ces nouvelles de bonheur et ne prononce pas une seule fois le nom du capitaine Kimbouala-Nkaya qui aimait notre pays et qu'on a mitraillé pour rien. Nous sommes tristes au Congo, pendant que les Parisiens sont peinards et heureux ce dimanche 20 mars 1977 où ils ont élu leur maire Jacques Chirac sans se bagarrer, sans sortir les camions militaires dans la rue, sans avoir à dire au peuple que c'est le couvre-feu, que c'est interdit de se regrouper à plus de trois personnes dehors à partir de dix-neuf heures jusqu'à sept heures du matin.

Il y en a beaucoup comme moi qui ne savaient pas qu'on élisait les maires. Chez nous c'est le président qui les choisit, et il ordonne d'aller voter à cent pour cent si on ne veut pas avoir des problèmes graves. Et si on fait le malin en se disant qu'on ne va pas voter pour les maires qui ont été choisis par le président, eh bien les militaires qui surveillent le vote vont vous menotter et vous conduire au cachot où on va vous chicotter avec un câble de Motobécane AV 42.

– Michel, ne parle surtout pas à ta mère tant qu'elle ne t'adressera pas la parole, me dit Papa Roger qui coupe mes pensées.

Je regarde une fois de plus vers ma mère : elle balaye maintenant du côté de la cuisine et nous tourne le dos. Des gens qui passent dans la rue la saluent, elle remue simplement la tête pour les saluer, elle aussi.

– Je boirai ce vin un peu plus tard dans la journée, va le mettre dans le garde-manger.

Je fais deux pas vers la maison et, au troisième pas, Maman Pauline me voit. Elle abandonne son balai, me rejoint, et nous entrons tous les deux dans le salon.

– Ton père te disait quoi tout à l'heure ?

– Euh… rien.

– Est-ce qu'il t'a parlé de ton oncle Kimbouala-Nkaya ? Dis-moi la vérité…

Je ne comprends pas où elle veut en venir, donc je lui réponds :

– Non, maman, on écoutait la radio…

– Et la radio parlait enfin de mon frère le capitaine Kimbouala-Nkaya ! C'est ça ?

– Non, elle parlait de Jacques Chirac…

– C'est qui celui-là encore ? Il a été assassiné avec ton oncle ?

– C'est un Blanc, un Français qu'on vient d'élire maire de la ville de Paris.

– C'est tout ?

– Il paraît qu'il est capable de tout faire pour qu'on élise quelqu'un comme président de la République. En plus, c'est lui qui a inventé le bureau où les chômeurs doivent s'inscrire pour retrouver du travail, l'Agence Nationale pour l'Emploi, et…

– Vraiment ! Comme s'il n'y avait pas de vraies choses à discuter dans ce pays ! Roger est bizarre ces temps-ci !

– C'est pas lui qui a dit ça, c'est La Voix de la Révolution Congolaise.

– Donc c'est faux, Michel ! Ils mentent ! Je te jure que même ce Jacques Chirac, il n'existe pas ! Quelqu'un ne peut pas s'appeler Jacques Chirac, on a inventé ce nom pour ne pas parler de l'assassinat de mon frère Kimbouala-Nkaya ! Mais ça ne se passera pas comme ça !

Elle baisse la voix :

– Demain ton père dormira chez sa première femme, il partira tôt le matin au travail, et dès qu'il aura disparu tu m'accompagneras au Grand Marché, il y a une femme qui ne m'a pas payée depuis des mois et des mois et…

– C'est la commerçante nordiste…

– Comment tu le sais, toi ? Tu nous as donc écoutés la nuit, c'est ça ?

Je baisse les yeux.

– Regarde-moi quand je te parle ! Tu me dépasses maintenant de taille et tu te comportes comme quelqu'un qui n'est pas courageux. Je veux que demain, quand on arrivera au marché et qu'on sera en face de cette Nordiste, tu fermes le visage comme un méchant ! Il faut qu'elle ait peur de toi. Essaie un peu de prendre le visage d'un méchant pour que je vérifie si c'est bon…

Je contracte les sourcils, serre les lèvres et deviens très vilain. Maman Pauline recule d'un pas et me juge :

– C'est un peu ça, mais tu dois bien serrer les lèvres et les dents, il faut que tes mâchoires deviennent dures !

Je serre encore plus les lèvres et les dents.

– Voilà !

– Et si ça se passe mal ?

– Quoi ? Tu as peur, c'est ça ? Est-ce que ton oncle qu'on a assassiné aurait eu peur, hein ? Quand ils sont venus pour l'arrêter chez lui, je suis sûre qu'il a sorti son arme, qu'il a tiré, mais comme ils étaient nombreux, le capitaine ne pouvait pas les abattre tous. Cette femme qui me doit de l'argent s'appelle Antoinette Ebaka et…

– C'est la chef de l'Union Révolutionnaire des Femmes du Congo au marché…

– Tu as vraiment écouté derrière les murs ! Je m'en fous qu'elle soit membre de l'Union Révolutionnaire des Femmes du Congo, je veux mon argent, je ne vais pas accepter qu'elle me dise de revenir le mois prochain alors qu'ils ont tué mon frère ! Elle doit me payer !

Il y a du bruit devant la porte, on se retourne tous les deux : c'est Papa Roger qui entre dans la maison.

– Qu'est-ce qui se passe ici, on complote contre moi ?

– Je discute avec Michel ! Est-ce que ça aussi c'est maintenant interdit par le Comité Militaire du Parti qui a tué mon frère, hein ?

Avant de faire demi-tour, mon père dit :

– Pauline, je ne suis pas naïf… Fais attention, ça peut apporter des ennuis à la famille. Ce n'est pas Antoinette Ebaka qui a tué le capitaine Kimbouala-Nkaya…

Ma mère hurle alors que Papa Roger est déjà reparti dehors :

– Oui, mais ce sont ses frères nordistes qui l'ont tué, et c'est pareil !

Maman Pauline sort elle aussi et reprend son balai. Moi je retourne auprès de mon père lui demander si je peux m'absenter quelques minutes.

– C'est ta mère qui t'envoie ?

– En fait je…

– Tu veux me parler de Mboua Mabé, c'est ça ?

– Euh…

– Michel, ce chien est peut-être mort à l'heure où je te parle. Et puis, ne me prends pas pour un demeuré : tu as mis trop de temps pour aller m'acheter du vin et du tabac, je sais que tu as changé de route, que tu es déjà allé à la recherche de ce chien. Si tu ne l'as pas trouvé, pourquoi penses-tu que cette fois tu le trouveras ? Donc, c'est non. Je ne veux plus entendre parler de Mboua Mabé…

Je ne réponds pas, mais il a l'air d'avoir pitié de moi.

– Écoute, tu peux y aller, parle d'abord à Pauline parce que je ne voudrais pas qu'elle me prenne la tête à ce sujet...

J'arrive devant Maman Pauline qui ne se retourne même pas quand elle me dit :

– J'ai tout entendu, et c'est non...

La colère de Mâ Moubobi

Il y a très longtemps que Mâ Moubobi n'avait pas mis les pieds chez nous, peut-être quatre ou cinq mois, quand elle était passée ici pour demander à Maman Pauline le nom de la fille qui avait fait ses belles tresses. Ma mère lui avait dit que c'était Célestine, l'enfant d'une de ses amies commerçantes du Grand Marché. Célestine est la meilleure tresseuse de Pointe-Noire, les filles et les mamans lui courent après, elle est tellement débordée qu'il faut prendre un rendez-vous trois semaines ou un mois avant. Mais Maman Pauline n'est pas concernée par ces rendez-vous puisque c'est la mère de Célestine, Mâ Kilondo, qui dit directement à sa fille :

– Tu n'as pas à faire poireauter Pauline sinon elle ne me réservera plus les meilleurs régimes de bananes pour mon commerce !

Donc, dès que Maman Pauline le décide, Célestine change tous ses rendez-vous et se pointe chez nous du matin jusqu'au soir pour s'occuper des cheveux de ma mère. Maman Pauline prépare un bon plat que cette fille-là aime, les épinards avec de l'huile de palme, du poisson salé et de la pâte d'arachide. Le soir, elle lui paye le prix de la coiffure et elle lui donne aussi l'argent pour le taxi. Elle a appris son travail chez les Ouest-Africaines qui sont les plus calées en matière de tresses compliquées. Ses doigts sont très fins, et quand ils remuent ils ressemblent aux pattes d'une araignée, ça va vite, ça sautille, ça tire, ça dessine des cercles, puis ça attrape les cheveux pour faire des nœuds et, à la fin, le résultat est incroyable, on dirait de la magie ! Quand Célestine tresse une femme, même si la femme est très vilaine de visage, elle devient brusquement belle comme la sirène Mammi Wata qui habite dans les rivières de nos villages avec sa chevelure en or et sa queue de poisson. Une femme bien tressée par Célestine peut dormir tranquille : les hommes vont se retourner dans la rue, l'inviter à boire dans un bar, puis à aller à un autre endroit très caché pour faire des choses que je ne vais pas décrire ici sinon on va encore dire que moi Michel j'exagère toujours et que parfois je suis impoli sans le savoir.

En tout cas, Mâ Moubobi avait pu avoir les mêmes tresses que Maman Pauline il y a quelques mois. Hélas ça n'avait pas duré plus de deux jours parce que la pauvre avait mal partout et se plaignait que ça piquait. Elle avait passé la nuit à se faire détresser par d'autres filles qui critiquaient le travail de Célestine, et quand moi je suis allé dans sa boutique, je l'avais trouvée avec une coupe afro si énorme que même les moineaux pouvaient faire leurs nids dedans en croyant que sa tête était un palmier…

Je ne suis pas tranquille de voir Mâ Moubobi chez nous parce que je me souviens que je l'ai énervée en lui expliquant idiotement que mon père voulait se débarrasser de son billet trop sale dans sa boutique. Elle n'a donc pas attendu un jour de plus pour régler ce problème. Elle se rapproche du manguier, le front fermé. Par respect, Papa Roger éteint la radio qui était branchée sur La Voix de la Révolution Congolaise. De toute façon, il voulait déjà l'éteindre parce qu'on ne parlait toujours pas du capitaine Kimbouala-Nkaya alors qu'on nous informait que des gens ont déposé des explosifs dans une station d'essence en France. Et ça se passe en Corse qui est, d'après nos journalistes, une île où les habitants ne rigolent pas car ils ne veulent plus être des Français mais des Corses, et ils embêtent tout le temps le pauvre président Valéry Giscard d'Estaing, le même qui a été élu président grâce à ce Jacques Chirac devenu ce dimanche le maire de Paris. Heureusement qu'il n'y a pas eu de morts à cause de ces explosifs des Corses, sinon notre radio allait bavarder là-dessus jusqu'aux funérailles du camarade président Marien Ngouabi et, au final, on n'allait plus savoir pour qui on était en deuil. Mais il n'y avait pas que ça qui avait énervé Papa Roger, c'étaient d'autres problèmes, toujours en France, dans une ville qui s'appelle Rennes et où des individus qu'on appelle les Bretons ont détruit des bâtiments de l'État en mettant eux aussi des bombes dedans, boum ! boum ! boum ! Donc les responsables de cette pagaille ce ne sont pas les Corses parce que Rennes c'est trop loin de leur île, et on ne voit pas pourquoi ils iraient poser leurs explosifs là-bas où les individus qu'on appelle les Bretons ont hérité de la tête dure de leurs ancêtres qui aimaient trop se bagarrer matin, midi et soir, on dirait qu'ils sont des Africains. Mais le peuple de la Corse et le peuple de la Bretagne s'énervent pour les mêmes raisons : ils veulent leur propre pays à eux, ils ne veulent pas être des régions de France où on va les obliger à parler le français qui a trop de règles et à négliger les langues de leur ethnie qui, comme l'expliquent les journalistes, vont finir par disparaître si on ne fait pas attention. Les Bretons ont manigancé ce coup-là, et les meneurs sont tellement contents de ce qu'ils ont fait qu'ils veulent qu'on le sache dans le monde entier. C'est pour ça qu'ils ont envoyé dare-dare l'information, sinon d'autres peuples dans d'autres régions de France risquent de voler leur victoire...

En fait mon père a commencé à baisser la radio dès qu'il a senti que nos journalistes n'avaient plus rien à dire et qu'ils ont commencé à raconter tous les malheurs qui ont eu lieu hier, surtout ce qui était arrivé à nos frères de la Roumanie du camarade président Nicolae Ceaușescu. D'après La Voix de la Révolution Congolaise, on sait maintenant le nombre de gens qui sont morts là-bas il y a deux semaines dans un tremblement de terre. Ils sont plus de mille cinq cents, mais il ne faut pas oublier les onze mille blessés et les milliers de gens qui n'ont plus d'endroit où dormir...

Quand je vois la figure que fait Mâ Moubobi, je sais d'avance qu'elle n'est pas très contente et qu'aujourd'hui ça va chauffer pour moi. Elle ne salue que Papa Roger, elle s'assoit là où moi j'étais assis parce que, par respect, il faut que je lui laisse ma place.

Elle demande à mon père en regardant à gauche et à droite :

– Elle est où, Pauline ?

La tête de mon père aussi balance à gauche et à droite, on dirait que Maman Pauline s'est cachée quelque part :

– Elle est sans doute dans la cuisine, tu veux que je l'appelle ?

Mâ Moubobi se tourne vers moi :

– Michel, c'est à toi d'aller l'appeler, pas à ton père ! C'est quoi ces manières d'enfant unique pourri gâté ?

Je file vers la cuisine, je guette sans entrer : ma mère n'est pas à l'intérieur. Me voici dans la maison, et comme je ne trouve pas Maman Pauline dans le salon, j'entre dans leur chambre : elle est en train de pleurer dans un coin avec une bougie allumée et une vieille photo du capitaine Kimbouala-Nkaya. Depuis là où je suis je peux bien apercevoir cette image grâce à la lumière de la bougie. Mon oncle est en tenue militaire, mais pas celle de la guerre parce que jamais les militaires ne vont combattre avec une cravate, la guerre c'est pas pour montrer à l'ennemi qu'on est mieux habillé que lui. Le capitaine porte une chemise blanche, des gants également blancs, des galons sur les épaules et des insignes partout, sur les deux côtés de la poitrine. Il a la tête tournée vers la droite, un peu comme sur la photo du camarade président Marien Ngouabi où son regard est aussi tourné vers sa droite, mais, contrairement à notre chef de la Révolution qui a une casquette, la tête du capitaine est nue, il a les cheveux courts, une petite moustache, et il sourit comme si quelqu'un était en train de le distraire pendant qu'on le photographie. Maman Pauline a sans doute sorti cette photo de sa malle où elle cache ses wax qui coûtent très cher, ses bijoux, les documents importants comme les actes de naissance, les papiers qui prouvent qu'elle est la propriétaire de notre parcelle, les pièces d'identité ou encore mes bulletins de notes depuis que j'étais à l'école primaire.

Comme mon cœur bat trop fort à cause de l'émotion de la voir dans cet état, Maman Pauline entend ma respiration et se retourne :

– Qu'est-ce que tu fais ici, hein ? Tu ne vois pas que je suis très occupée ? Et puis, tu ne pouvais pas frapper avant d'entrer ?

Je lui explique que Mâ Moubobi est dehors et veut la voir dare-dare.

– Me voir dare-dare, moi ? Si c'est encore pour que j'appelle Célestine qui lui fera des tresses, dis-lui que je dors et que je passerai la voir dans son magasin !

– D'accord, je vais lui dire ça...

Je fais un pas, puis deux, mais elle m'arrête :

– Non, attends, je vais quand même la voir...

Quand nous arrivons dans le salon, elle s'arrête, se regarde dans le miroir au-dessus de l'armoire, mouille ses doigts avec de la salive et efface les traces de ses pleurs. Elle attache bien son pagne autour de la taille, redresse aussi son haut et le foulard noir qui couvre toute sa tête.

Nous sortons maintenant de la maison, moi devant, ma mère derrière...

Mâ Moubobi parle à Papa Roger sous le manguier et, dès qu'elle aperçoit ma mère, elle se tait, la regarde avec une mine de pitié et dit :

– Pauline, j'ai fermé en vitesse la boutique pour venir te voir, et je disais d'ailleurs à Roger qu'un client vient de m'apprendre que le fameux capitaine qui a été assassiné à Brazzaville est ton frère... Est-ce que c'est vrai ? Est-ce pour ça que tu portes ce foulard noir ?

Ma mère regarde d'abord mon père qui baisse les yeux. Puis elle regarde vers moi, je baisse aussi les yeux, et elle répond :

– Non, ce n'est pas mon frère...

Papa Roger et moi nous relevons la tête et fixons Maman Pauline droit dans les yeux. Elle nous évite.

Mais Mâ Moubobi ne s'arrête pas là :

– Donc ce que j'ai entendu tout à l'heure, c'est faux ?

– N'écoute pas les gens, ils vont te sortir des choses de tous les modèles, tout ça pour embêter le monde...

Mâ Moubobi est contente d'entendre ça, mais comme elle a encore l'air de douter, Maman Pauline change de discussion pour bien l'embrouiller :

– Comment va notre petit Olivier Moubobi ? Il apprend bien son métier de contrôleur de bus ?

Dès qu'on parle de son fils, Mâ Moubobi devient une autre personne, elle est joyeuse et peut vous donner gratuitement la marchandise de sa boutique.

– Oh, mon petit chéri Olivier ? C'est gentil de penser à lui, Pauline… Mais qu'est-ce qu'il est intelligent ! Il fait entrer beaucoup d'argent dans la caisse de son patron, le mois prochain c'est lui qui va être le chef de tous les contrôleurs de bus que ce monsieur possède. Et je ne vous dis pas tout : il a même trouvé une petite copine…

– C'est une bonne nouvelle, ça !

– Et comment, Pauline ! Je suis sauvée… Bon, elle est un peu mince, et je n'aime pas ça, mais c'est un bon choix que mon fils a fait ! Il a frappé très haut !

– Comment ça ?

– Eh bien, Rosalie qui sera peut-être ma belle-fille n'est pas n'importe qui…

– Tu as donc rencontré les parents de cette Rosalie ?

– Bien sûr ! Elle n'a pas de père, c'est mieux comme ça, Olivier aussi a un père qui a disparu. Par contre, tiens-toi bien, Pauline, la mère de Rosalie est une femme extraordinaire, tu la connais, elle s'appelle Antoinette Ebaka, et c'est elle la chef de l'Union Révolutionnaire des Femmes du Congo de la section du Grand Marché…

Nous nous regardons, ma mère, mon père et moi. Là encore Maman Pauline prend l'air calme de celle qui dit la vérité :

– Non, je ne connais pas cette femme…

– Elle vend des bananes au Grand Marché, comment tu ne peux pas la connaître, tu connais toutes les commerçantes, et toutes les commerçantes te connaissent ! Elle m'a déjà parlé de toi et...

– Puisque je te dis que je ne la connais pas ! Si ça se trouve, elle achète ses régimes de bananes chez d'autres...

– Ah bon ? Ben, c'est pas grave, si elle passe un de ces jours dans ma boutique, je l'emmènerai tout droit ici pour te la présenter !

– Pourquoi pas, Mâ Moubobi...

– Je te jure qu'il faut vraiment que tu la connaisses ! En plus, elle a une autre fille qui s'appelle Elikia, c'est la jumelle de Rosalie, donc ton petit Michel pourrait voir si...

– Michel doit d'abord entrer au lycée Karl-Marx avant de faire ces choses. Il faut qu'il termine ses études, et, si Dieu veut, qu'il aille en Europe pour continuer plus haut. Les jeunes d'aujourd'hui commencent tôt avec les femmes, et si on ne fait pas attention, ils abandonnent les études, pondent des enfants et deviennent des bandits dans les marchés...

Mâ Moubobi ferme le visage. Elle pense que Maman Pauline parle d'Olivier :

– Attends, Pauline, on dirait que c'est moi que tu vises ! Tu veux me dire qu'Olivier a abandonné les études de lui-même, hein ? C'est les autres élèves qui l'embêtaient ! En plus, Olivier travaille, et il travaille bien ! Tu crois que la plupart de ces jeunes qui vont au collège des Trois-Glorieuses ou au lycée Karl-Marx trouveront du travail dans ce pays, hein ?

Papa Roger intervient :

– Mâ Moubobi, ce n'est pas contre toi que Pauline disait ça, elle parle en général, je veux dire qu'elle voulait te signifier que...

– Roger, c'est à toi que je parle ou à ta femme ? Je ne suis pas une idiote, moi ! Je sais quand on me vise en cachette, et c'est ce que Pauline vient de faire ! D'ailleurs, explique-moi pourquoi, quand tu dois te débarrasser de ton sale billet de cinq mille francs, tu files ça à ton enfant pour qu'il vienne acheter deux fois la même chose chez moi, hein ? Tu me manques de respect, Roger ! Tu ne ferais pas ça au centre-ville dans une boutique de Blancs ! Donc tu penses que ma boutique c'est là où on paye avec un billet sale comme ça ?

Papa Roger est surpris :

– Attends, mais c'est quoi cette histoire de billet sale ?

Maman Pauline s'étonne aussi :

– Un billet sale ? De quoi tu parles ? Tu nous cherches des problèmes pour rien !

Mâ Moubobi me montre du doigt :

– Eh bien, votre garçon est venu dans ma boutique aujourd'hui avec un billet très sale, il m'a dit que toi Roger tu lui as donné ce billet à dépenser chez moi parce qu'il était trop sale et que tu n'en voulais plus !...

Papa Roger la calme :

– Mâ Moubobi, on va arranger ça avec lui parce que j'ai vraiment le souvenir de lui avoir donné un billet très propre.

Mâ Moubobi fouille dans son soutien-gorge et sort un billet :

– Le voici, le billet sale en question, je l'ai gardé ! Est-ce que vous voyez comment il est sale, hein ? Je vais vous le rendre parce que c'est pas chez moi que je garderai cette chose qui pue et qui porte malheur !

Là, Maman Pauline n'est pas d'accord :

– Écoute, Mâ Moubobi, si c'est pour ça que tu es venue ici, retourne vite dans ton magasin !

– Tu me chasses d'ici, c'est ça ?

– Oui, je te chasse de chez moi ! D'abord tu viens me parler de mon frère assassiné, euh, pardon, je voulais dire de ce capitaine assassiné que je ne connais pas, et maintenant c'est une histoire de billet sale ? Même s'il est sale, est-ce que ce qu'on achète avec sera aussi sale, hein ? S'il est sale, pourquoi tu l'as mis dans ton soutien-gorge ?

– Je m'en vais !

Elle jette le billet sale par terre et se dirige vers la sortie de la parcelle où nous l'entendons hurler :

– Ma boutique n'est pas une poubelle ! Je ne veux plus voir un de vous mettre les pieds dedans ! Pauvres gens !

Aussitôt que Mâ Moubobi a disparu de notre vue, Maman Pauline et Papa Roger commencent à m'attaquer. Trop de questions, et moi je ne sais pas comment m'en sortir.

– Est-ce que cette histoire de billet est vraie ? me demande Maman Pauline.

– Si c'est vrai, alors là, mon petit, ça sera comme une faute lourde, il faudra que tu ailles t'excuser tout seul ! dit mon père.

– Réponds-moi ! ordonne Maman Pauline.

– Oui, réponds-nous ! crie Papa Roger.

Je laisse passer quelques secondes, et je leur réponds :

– Non, c'est faux…

Le cousin du cardinal

Il est peut-être minuit ou une heure du matin. De mon lit, j'entends des chiens qui aboient de très loin. Est-ce que Mboua Mabé est avec eux ? Est-ce qu'il est content d'être au milieu de ses amis qui sont plus importants que moi alors que sans moi il n'aurait été qu'un animal malheureux que personne ne voulait acheter au Grand Marché, même à demi-tarif ? Je ne vais plus le rechercher puisqu'il pense qu'il est bien là où il est parti, et je m'en fous s'il est à Voungou, près de la rivière Tchinouka, ou encore dans les poubelles du quartier Mouyondzi. C'est fini, de toute façon ni Papa Roger ni Maman Pauline ne veulent plus de lui. Depuis qu'il est là où il est, il a certainement appris des choses honteuses, des choses que je ne voulais jamais qu'il fasse avec les chiennes et que je ne peux pas décrire ici sinon on va encore penser que moi Michel j'exagère toujours, que parfois je suis impoli sans le savoir. Mais au fond de moi, parce que je suis quand même un garçon qui ne garde pas la colère au frigo pour la réchauffer après, je pardonne à ce chien son mauvais comportement et, grâce à mon pardon, il deviendra une cigogne qui protégera le camarade président Marien Ngouabi car ce n'est pas par hasard s'il a disparu dès qu'il a entendu la mauvaise nouvelle qu'aucun autre chien de ce pays ne pouvait entendre…

Pendant le repas, après que Mâ Moubobi était sortie de notre parcelle toute fâchée, je n'avais pas trop d'appétit à cause de Maman Pauline qui avait dit qu'elle ne pouvait pas manger alors que le cadavre de son frère n'était pas encore sous terre et qu'elle ne saura jamais où il est. En plus, elle nous avait servis au pied du manguier sans nous crier qu'elle n'est pas notre esclave. J'étais étonné de ce bon comportement alors qu'elle parle maintenant peu, passe beaucoup de temps dans la chambre à sangloter, à faire des prières comme si notre maison était la mosquée des musulmans du Grand Marché.

On a mangé en silence, Papa Roger et moi. Les morceaux de viande de porc-épic n'avaient pas le goût d'avant, et ce n'était pas la faute de Maman Pauline qui avait réussi son plat, mais pour bien apprécier la nourriture il faut qu'il n'y ait pas de boule qui serre le cœur. Ce n'est pas seulement la bouche qui juge la nourriture, c'est tout le corps, or le corps de Papa Roger et mon corps n'étaient pas concentrés, et donc on mangeait juste pour dire qu'on envoyait quelque chose dans l'estomac.

Par la suite, dès que la nuit était tombée, Papa Roger écoutait à la radio les informations du soir. On ne disait toujours rien sur la mort du capitaine et j'étais venu lui servir son verre de vin au moment où nos journalistes félicitaient l'équipe de France de rugby qui avait battu hier l'Irlande au Tournoi des Cinq-Nations à Dublin, avec un score de 15-6…

Maman Pauline s'était déjà enfermée dans la chambre, la lumière éteinte, pour recommencer à pleurer le capitaine Kimbouala-Nkaya. Le bruit des camions militaires qui passaient dans la rue me faisait battre le cœur très fort. Je me demandais ce que ces véhicules transportaient en pleine nuit. Ils se dirigeaient comme dans la journée vers le cimetière Mont-Kamba, sauf qu'il n'y avait plus de gens qui pleuraient à l'intérieur. Ils avaient toutes les rues et toutes les avenues à eux, pas un seul chat n'osait traîner dehors. Jamais notre ville n'a été aussi silencieuse, comme si quelque chose de plus grand, de plus grave allait encore se passer. Mais qu'est-ce qui serait plus grand, plus grave que la mort du camarade président Marien Ngouabi, et, pour notre famille, la mort du capitaine Kimbouala-Nkaya ? Peut-être que les petites choses additionnées à d'autres petites choses peuvent causer ces choses plus grandes ? Papa Roger m'avait informé par exemple qu'en fin d'après-midi les militaires avaient arrêté François Nzitoukou-lou, un monsieur qui travaille à l'hôtel Atlantic Palace et qu'il connaît bien parce qu'ils font le même métier de réceptionniste. Parfois, quand ils ont des problèmes de chambre, ils s'appellent pour s'arranger : mon père loge son client pour une nuit, François Nzitoukoulou le reprend pour le lendemain, et ça marche dans l'autre sens quand c'est mon père qui a des difficultés au Victory Palace. D'après mon père, François Nzitoukoulou a été arrêté parce qu'il serait un cousin du cardinal Émile Biayenda. Ses voisins étaient allés le dénoncer dans un des bureaux de l'Ordre que le Comité Militaire du Parti a installé dans chaque quartier depuis ce matin. L'État donne beaucoup d'argent aux vrais patriotes qui attrapent les ennemis de la Révolution, m'avait expliqué mon père. Or le cardinal Émile Biayenda était à l'état-major quelques heures avant l'assassinat du camarade président Marien Ngouabi.

J'avais demandé à mon père :

– Et tu savais, toi aussi, que le monsieur était le cousin du cardinal Émile Biayenda même s'ils n'avaient pas le même nom ?

– Oui, j'ai eu le privilège de loger le cardinal au Victory Palace, et c'est François lui-même qui m'avait demandé le service pour son cousin. Nos suites sont meilleures que celles de l'Atlantic Palace...

Fais-moi rêver

Ça me fait mal d'entendre Maman Pauline pleurnicher comme ça dans leur chambre au milieu de la nuit. C'est sûr qu'elle regarde la photo de l'oncle Kimbouala-Nkaya.

Papa Roger la console :

— Pauline, tu as vu l'heure qu'il est ? Je comprends ta douleur, mais ça ne justifie pas ton comportement. À ce train je…

— Quel train ? Attention à ce que tu dis !

Ma mère gronde Papa Roger très fort, et moi j'entends tout comme si j'étais devant la porte de leur chambre :

— Laisse-moi en paix, Roger ! Tu n'es pas content d'aller dormir demain chez Martine ? Et d'ailleurs tu fais quoi dans mon lit, hein ? Ta tête n'est pas dans cette maison ! Laisse-moi pleurer mon frère, et ne me touche pas sinon je vais aller dormir dans la chambre de Michel !

Je ferme les oreilles avec mes deux mains pour ne plus les entendre, mais c'est idiot parce que, tout à coup, c'est mon propre cœur que j'entends, et il bat tellement fort que j'ai envie de le vomir pour respirer. Il faut donc que je pense à d'autres choses plus joyeuses ou que je m'occupe à faire quelque chose, par exemple à lire jusqu'à ce que je m'endorme.

J'ouvre le livre que j'avais ramené du collège depuis le jeudi passé. Le titre est *Comprendre la géographie du Congo*. C'est là-dedans qu'on a écrit que le Congo n'a que 342 000 kilomètres carrés de superficie et qu'on est moins nombreux que les Zaïrois qui sont plus de vingt-quatre millions alors que nous on n'est même pas deux millions de personnes mais on a autant de problèmes que les vingt-quatre millions de Zaïrois. Il est aussi écrit dans ce livre que notre pays n'a que deux saisons : la saison des pluies et la saison sèche. Or si je calcule bien, je constate que ce livre se trompe car dans notre pays on n'a pas que deux saisons, on en a quatre ! Entre octobre et décembre, c'est là qu'il y a la grande saison des pluies, et il fait très chaud : c'est la première saison. La petite saison sèche commence, elle, en janvier et se termine en février : c'est la deuxième saison pendant laquelle il n'y a presque plus de pluies, et il fait trop chaud. De mars à avril, c'est la petite saison des pluies, il pleut, mais pas tout le temps et pas comme pendant la grande saison des pluies : c'est la troisième saison. Enfin, la quatrième saison a lieu entre mai et septembre, c'est la saison sèche, il ne pleut presque pas et il arrive qu'on porte un tricot.

Comprendre la géographie du Congo n'est même pas un vrai livre, c'est un paquet de papiers photocopiés, attachés avec un fil de fer au-dessus et un autre en dessous. On ne sait pas qui a imaginé ça car il n'y a aucun nom dessus. On lit sur la couverture, en rouge et en bas : *Interdiction formelle de voler les feuillets sous peine de convocation des parents des malfaiteurs*. Si on ne fait pas attention, on risque de croire que c'est le titre du livre alors que ce n'est que pour faire peur aux élèves qui arrachent les pages et les gardent chez eux. Ils se comportent de cette façon en pensant que c'est dans ces pages-là que le professeur choisira les sujets des devoirs. Donc ils les étudient comme des perroquets, et si c'est un autre sujet qu'on donne, ces perroquets sont perdus. Y en a aussi qui piquent les pages pour tricher au moment de l'examen. C'est pareil que les autres qui font les perroquets puisqu'il faut que le sujet qui tombe ait sa réponse dans la page volée. Moi je ne suis pas parmi ces deux types d'élèves malfaiteurs. Pendant le cours de géographie, le professeur nous demande de nous mettre par groupes de quatre ou cinq, et il choisit le plus intelligent dans chaque équipe pour qu'il emporte le manuel à la maison. Le week-end, cet élève reçoit chez lui les autres camarades pour préparer l'exposé. C'est tous les lundis qu'on expose, c'est-à-dire qu'on parle en classe devant le professeur et devant les filles qui vous font des grimaces pendant que les garçons imitent un gorille en train de se gratter le dos. Si on s'occupe trop de ces amuseurs, on va être perturbé, puis on va raconter des choses qui ne sont pas écrites dans *Comprendre la géographie du Congo*.

Normalement, s'il n'y avait pas eu la mauvaise nouvelle de la mort du camarade président Marien Ngouabi, mes trois camarades de classe auraient été là cet après-midi pour préparer l'exposé avec moi. Oui, Étienne Tokoutani-Lelo, Zéphirin Malanda-Ngombé et Louise Mwana-Watoma seraient venus ici. D'ailleurs, une semaine avant cette pagaille dans le pays, j'étais assis avec eux là où Papa Roger écoute sa Grundig. On avait formé un cercle pour que chacun voie chacun. C'était moi qui tenais comme d'habitude *Comprendre la géographie du Congo*, et c'était aussi moi qui posais les questions pour vérifier qu'on avait tout compris. Et, l'un après l'autre, on devait réciter ce qui était dit sur

les peuples vili, teke, lari, kuni, mbochi, yombe, etc.
Puisque c'était long, j'ai demandé à Louise de prendre,
elle, le manuel, et de me remplacer pour nous question-
ner. De toute façon, Étienne et Zéphirin n'acceptent
pas de jouer au professeur parce qu'ils ne veulent pas
être ridicules devant Louise. Il n'y a pas que ça, il y
a autre chose : tous les trois on voulait que ce soit
Louise qui me remplace car elle était trop bien habillée,
avec sa robe sangsue et transparente comme celle des
femmes adultes. Louise est déjà une femme qui fait se
retourner les hommes quand elle passe dans la rue. On
la siffle, les voitures des capitalistes noirs s'arrêtent,
et elle est obligée d'expliquer qu'elle est mineure et
qu'elle vit avec son papa et sa maman qui pourraient
tout dévoiler à la police si on la force à être véhiculée
pour l'embarquer dans un endroit qu'elle ignore et
faire des choses que je ne vais pas décrire ici sinon
on va encore dire que moi Michel j'exagère toujours
et que parfois je suis trop impoli sans le savoir. En
tout cas, Louise est presque une vraie femme. Elle
met des talons-dames, du rouge à lèvres, des bijoux,
tout ça appartient à sa mère, Mâ Longonia, qui était
Miss Pointe-Noire quand nos parents ne savaient même
pas qu'on allait naître et que le camarade président
Marien Ngouabi allait arriver au pouvoir puis être
assassiné le 18 mars 1977 à 14 h 30. Louise nous a déjà
expliqué que les riches de la ville de cette époque-là
voulaient tous sortir avec Mâ Longonia, et il y en
avait qui promettaient qu'ils allaient lui donner tout
l'or du monde ! Pendant qu'elle racontait ça, moi je
me demandais si lorsqu'on baratine une femme c'est
une bonne idée de lui promettre tout l'or du monde. Et
si la femme-là vous quitte ou donne tout votre or du
monde aux autres hommes qu'elle aime en cachette,

des hommes qui sont plus jeunes, plus musclés et plus beaux, vous allez faire comment puisque vous n'avez plus rien à la fin ? Louise nous avait imité la voix de son père le jour où il embrouillait sa mère pour la prendre comme femme :

– Mon père avait dit à ma maman : « Mademoiselle Miss Pointe-Noire, vous êtes tout l'or du monde, et quand je suis à côté de vous je me sens aussi comme de l'or, je brille… »

Nous on ne voyait pas ce qui était fort dans ce bavardage, mais Louise avait ajouté :

– Ma maman n'avait pas entendu ça avant chez un homme, donc elle a épousé mon papa vite fait, et moi je suis leur seule enfant… Bon, mon papa a vingt-cinq ans de plus que ma mère, mais c'est quelqu'un de bien.

C'était à ce moment que Zéphirin avait rigolé :

– Donc il a finalement donné tout son or du monde à Mâ Longonia ?

Étienne, lui, se moquait d'elle :

– Ah ! Ah ! Ah ! Il faut me donner un peu d'or, comme ça je vais faire fabriquer une grosse gourmette !

Louise ne voyait pas que les deux plaisantaient, et elle s'était fâchée :

– Vous, vous n'êtes pas encore des hommes ! Vous ne comprenez pas que c'est ça qu'on appelle le baratin, hein ? Vous ne comprenez pas que c'était pour mon papa la façon de dire à ma mère qu'il va l'aimer même après leur mort ? Vraiment, tchiiiip !

C'est surtout les belles coiffures de Louise qui nous font tourner la tête alors que ce n'est pas Célestine qui la tresse, mais sa propre maman. Ce qui énerve encore Louise c'est quand Étienne, Zéphirin et moi on regarde trop sa poitrine. C'est à cause de ce mauvais comportement que dès que je lui avais dit de me remplacer pour poser les questions, elle avait utilisé le manuel pour se couvrir la poitrine.

Étienne et Zéphirin sont chaque fois en concurrence pour que Louise tombe amoureuse de l'un ou de l'autre. C'est ça qui fait qu'ils ne sont jamais concentrés pendant qu'on s'exerce. Ils racontent des blagues en croyant que Louise sera charmée, mais c'est eux-mêmes qui rient de leurs plaisanteries idiotes sur les paralytiques qui font la course et qui sont dépassés par un vieil escargot parti en dernier.

Je sais que Louise est amoureuse de moi en secret. Mon cousin Gilbert Moukila que toutes les femmes adorent m'a appris des choses sur la façon de pousser une femme à être amoureuse de toi à mort. Étienne et Zéphirin ne savent pas ça, et c'est pas à moi de leur donner ce secret sinon l'un des deux va attraper le cœur de Louise et jouer avec ça comme si c'était un ballon de football. Gilbert Moukila, que nous appelons aussi « Magicien », dit que chez les femmes l'amour arrive en cachette et que même si tu le vois arriver en vitesse comme une voiture de sport, il faut être tranquille, peinard, faire semblant que tu n'as rien vu sinon l'amour ouvrira ses ailes, il s'envolera et ira se réfugier chez l'autre garçon qui a toujours été calme. Magicien a raison, et c'est pourquoi moi aussi je reste calme et j'attends dans mon coin que l'amour, là, arrive de lui-même. Le mois dernier j'ai quand même perdu mon calme, j'ai écrit un petit poème que j'ai montré à Louise sans qu'Étienne et Zéphirin le sachent. Je ne l'ai pas encore fini car il n'y a pour l'instant que quatre lignes que je corrige tout le temps parce que je trouve que c'est encore long, avec trop de syllabes alors que je voudrais faire des alexandrins comme dans la poésie qui est dans les livres de français.

Voici mes quatre lignes, c'est provisoire, ça peut encore changer demain ou après-demain :

Toutes tes robes rendront jalouses les cigognes blanches
Jusqu'à la fin du monde elles resteront toujours sans taches
Car je m'en occuperai chaque fois pendant ton sommeil
Et tu les retrouveras aussi belles à ton réveil

Quand Louise a lu ça, elle m'a regardé des pieds à la tête comme on regarde les gens qui sont mal habillés et qui osent se promener au centre-ville, on dirait que la honte n'a jamais habité dans leurs pensées.

– Michel, tu as recopié ça quelque part ?

Je me suis dit : Si elle pense que moi Michel j'ai recopié ça quelque part, c'est qu'elle a aimé mon petit poème qui est bien.

Trop fier de moi, j'ai répondu à Louise :

– Est-ce que moi Michel je peux recopier quelque chose ?

– Et tu as écrit ça pour qui ? Parce que, regarde bien, il n'y a pas le nom de la fille en question dedans !

C'est là peut-être que j'aurais dû lui dévoiler mes sentiments. Au lieu de lui annoncer que c'était pour elle que j'avais écrit le poème, j'ai dit :

– C'est pour celle qui va être ma femme, celle que je vais aimer matin, midi et soir…

On s'était un peu écartés du manguier parce qu'Étienne et Zéphirin voulaient savoir ce qu'on se racontait et pourquoi Louise m'écoutait avec une figure très gentille et souriante.

Mais quand elle a lu une deuxième fois, puis une troisième fois ce bout de papier, sa figure n'était plus gentille comme avant :

– Dis-moi la vérité, Michel, tu as écrit ça pour Caroline, ta copine que tu avais à l'école primaire, la sœur de Lounès...

– Non, Caroline aimait mon ennemi Mabélé, pas moi...

– C'est vraiment fini entre elle et toi alors ?

– C'est mieux comme ça parce que moi j'avais trop mal à cause de ses caprices. D'ailleurs je ne parle plus à son frère Lounès, et Caroline ne vit plus à Pointe-Noire, ses parents l'ont envoyée à Brazzaville parce qu'elle commençait à trop s'agiter ici avec des garçons trop vieux par rapport à elle...

Louise était maintenant très heureuse :

– Donc tu veux dire qu'au moment où nous parlons tu n'as plus de copine, c'est ça ?

J'ai encore gâché ma chance, peut-être aussi parce que je ne voulais pas qu'elle se moque de moi en racontant que je suis un cailleur, c'est-à-dire quelqu'un qui n'arrive pas à trouver de copine depuis très longtemps.

– Ah parce que tu crois que moi Michel, je suis un cailleur ? Si, si, j'ai une copine !

– Ah bon ? Elle est avec nous au collège ? Je la connais ?

– Non, elle n'est pas au collège, et tu ne la connais pas.

– Elle s'appelle comment alors ?

– Je ne te dirai pas son nom, elle veut que ça reste top secret entre elle et moi sinon l'amour s'envolera et ira se réfugier chez un autre garçon qui est calme et peinard...

Elle a commencé à se toucher les cheveux et à remettre du rouge à lèvres devant moi. Elle n'était même pas gênée et énervée que mes yeux restent collés sur son haut tellement bombé que si on ne fait pas attention on va croire qu'elle a camouflé deux papayes géantes dedans. Je ne savais plus ce qu'il fallait que je sorte comme baratin pendant qu'elle devenait plus belle en face de moi et qu'Étienne et Zéphirin boudaient loin là-bas. Magicien dit souvent que devant une fille, si on n'a rien à dire, il vaut mieux se taire pour ne pas tout gâcher à cause de la bouche qui parfois ne demande pas la permission à la tête avant de s'ouvrir et de raconter n'importe quoi. Or si on ne dit rien, c'est mieux, c'est le silence qui parlera à la place.

Louise a dit au moment où elle rangeait son rouge à lèvres dans sa trousse :

– Tu vois, Michel, moi j'aimerais qu'un garçon m'écrive la même chose. En plus cette fille qui est dans ton poème a vraiment de la chance…

– Quelle chance elle a ?

– Eh bien, tu l'as écrit dans ton poème : elle n'aura pas besoin de laver ses robes, tu feras ça à sa place…

Moi je voulais lui dévoiler que c'était elle la fille dans mon poème, mais je pensais d'un autre côté que si elle prenait ça mal, j'allais avoir honte devant Étienne et Zéphirin qui se battent déjà pour elle et qui iraient raconter n'importe quoi au collège. Je n'avais rien dit, elle a rejoint nos deux camarades, on s'est dit au revoir, et ils sont tous sortis de chez nous.

Je suis resté devant notre parcelle à regarder comment Louise marchait et comment son Pays-Bas bougeait. J'ai mis la main sur ma poitrine : mon cœur battait vite. J'étais donc amoureux, et je savais que je serais encore amoureux malgré les mauvaises nouvelles des assassinats du camarade président Marien Ngouabi et du capitaine Kimbouala-Nkaya qui ont fait que je ne la reverrai pas cette semaine car l'école sera fermée jusqu'aux funérailles de notre chef de la Révolution…

Souvent, quand on prépare notre exposé de géographie sous le manguier, il arrive qu'on ne comprenne pas bien ce que le manuel raconte, et c'est Papa Roger qui vient nous aider. Il tourne vite les pages, il s'étonne de ce qu'il trouve dedans parce que ce n'est pas ça qu'on leur apprenait à l'époque :

– C'est du n'importe quoi ! Comment ils peuvent dire : « *Le Congo est un pays qui est à cheval sur l'équateur terrestre* » ? Déjà il faut qu'ils vous expliquent ce qu'est l'équateur terrestre !

Et là c'est lui-même qui prend la place du professeur de géographie. Il dit que l'équateur terrestre est quelque chose qu'on ne voit pas, c'est une ligne invisible, et ça ceinture la Terre un peu comme quand on porte une ceinture pour que le pantalon ne tombe pas devant les gens, sauf que si la Terre ne tombe pas ce n'est pas à cause de l'équateur qui permet seulement de séparer ceux qui sont au nord de ceux qui sont au sud. Et il ajoute que le monde a été mal découpé puisque tous ceux qui sont au sud souffrent beaucoup plus que tous ceux qui sont au nord.

Un jour j'ai dit à mes camarades en montrant la carte du monde qui est dessinée dans le manuel :

– C'est une chance que sur les onze pays que traverse l'équateur, notre Congo soit dedans avec six pays d'Afrique : la Somalie, le Zaïre, le São Tomé-et-Príncipe, l'Ouganda, le Kenya et le Gabon…

Zéphirin a pris une figure de tristesse :

– Et les autres pays où ça ne passe pas, qu'est-ce qu'ils vont devenir ?

J'ai fermé le manuel, parce que c'était la fin de notre répétition, et je lui ai répondu :

– Est-ce que c'est notre problème si l'équateur ne passe pas chez eux ? C'est pas nous qui avons décidé qu'il y ait cette ligne et que notre pays fasse du cheval dessus. Tant pis pour eux, c'est pour ça qu'on les appelle les pays non alignés…

Je n'ai plus envie de lire ce manuel. En temps normal je le fais en me disant que le lendemain j'irai en classe, que ce que j'ai révisé sera encore assez frais dans ma tête de sorte que, dès que le professeur posera une question, je lèverai ma main plus vite que les autres élèves afin de leur montrer que moi Michel j'étudie, que je ne recopie pas les bêtises des gens assis à côté de moi.

S'il n'y avait pas la zizanie et la pagaille, j'aurais quitté la maison demain matin à six heures pour aller à l'école. Lorsque j'arrive devant le collège des Trois-Glorieuses il y a du monde partout, des mobylettes, des vélos-pédalés, des groupes qui ont marché depuis les quartiers Mbota ou Fond Tié-Tié pendant des heures. Ils transpirent déjà alors que le soleil n'est pas sorti. Ils portent des tongs, avec la tenue scolaire obligatoire : les garçons tout en beige, les filles avec un pantalon bleu foncé et une chemise bleu clair. Ils se parlent. Ils disent du mal du directeur, des surveillants de couloirs, d'un professeur qui invite trop les filles chez lui alors que c'est des élèves et que leur poitrine n'est pas encore mûre. On ne va pas rester dehors tout le temps, la sirène va nous surprendre pour nous dire d'arrêter les bavardages et de nous rendre dans les classes. Moi je suis là quelque part, et j'ai aussi marché depuis ce quartier Voungou jusqu'au collège parce que Maman Pauline dit qu'il faut laisser aux enfants des capitalistes noirs leurs caprices de vouloir être véhiculés :

– Michel, imagine que Dieu redonne aux paralytiques leurs jambes, est-ce qu'ils vont demander en premier d'être véhiculés ? Non, ils vont chercher à marcher ! Donc, remercie le Tout-Puissant de t'avoir donné des jambes. Il serait déçu si tu ne t'en servais pas !

Devant le collège, j'achète d'abord des beignets chez la vieille Béninoise, Mama Couao, qui les vend à un prix très bas aux élèves. Je lui prends aussi de la bouillie de maïs avec l'argent de poche que m'a donné Maman Pauline ou Papa Roger. Je m'assois sur les briques qui traînent ici et là et je mange comme si demain n'existerait plus. Si Zéphirin me retrouve, je lui en donne un peu car ses parents le punissent souvent en disant qu'il n'aura pas d'argent de poche puisqu'il n'a pas voulu faire la vaisselle ou qu'il a eu de mauvaises notes. Après ce casse-croûte rapide, j'entre dans la grande cour que je traverse pour arriver de l'autre côté dans un vieux bâtiment de trois étages avec une toiture en tôles rouillées. Dans ce bâtiment, les élèves de la sixième ont leur salle de classe au rez-de-chaussée, ceux de la cinquième au premier étage, ceux de la quatrième au deuxième étage, et ceux de la troisième au dernier étage. Donc on reconnaît vite les redoublants parce que chaque année ils restent au même étage, et on reconnaît vite les intelligents parce que chaque année ils montent d'un étage. Une fois que vous arrivez dans les classes du dernier étage, donc en classe de troisième, c'est déjà une victoire car le lycée Karl-Marx n'est plus loin, et moi un jour je fréquenterai cet établissement qui est près de la mer où je serai content de regarder tout le temps les cigognes blanches qui volent *au-dessus des têtes des gens et poussent des gémissements...*

En classe, ma place est dans la rangée contre le mur, près de la fenêtre. Je m'assois au premier table-banc avec Albert Makaya, le fils du directeur du collège. Louise est derrière nous, de même qu'Étienne et Zéphirin. Je vois tout ce qui se passe dehors grâce à cette fenêtre. Dès que les oiseaux viennent se poser et chanter sur le flamboyant au milieu de la cour, ma tête se tourne d'elle-même, j'oublie que je suis dans la classe, que Monsieur Yoka, notre professeur de géographie, est en train de citer les noms compliqués des rivières de chez nous comme la Likouala-Mossaka, la Sangha, la Loufoulakari, la Loudima, la Louessé, etc. C'est parce que Monsieur Yoka parle des rivières que le chant des oiseaux me fait encore plus voyager. Je vois des forêts, des prairies, des animaux de toutes les qualités et de tous les gabarits. J'aperçois la fumée des feux de brousse. Je vois des paysans qui reviennent des champs avec des sacs remplis d'ignames, de tubercules. Ils souffrent, leur village est en haut, et ils doivent monter la colline avec ces kilos sur la tête. Et j'écris ça dans mon cahier, je griffonne, je griffonne, j'ai peur que si je ne note pas ça, ces belles choses vont disparaître comme de la fumée, et je ne m'en souviendrai pas. Je note que la fumée rejoint le ciel, mais que le vent efface la fumée et que le ciel redevient tout bleu, et moi Michel je cours, je cours, j'arrive dans une clairière où Louise m'attend avec une longue robe toute blanche et des oiseaux bleus qui tournent autour de sa tête.

Je sursaute quand Monsieur Yoka frappe sa règle en fer sur son bureau :

– Michel, tu rêves encore !

Tout le monde rit, mais tout le monde ne rira plus lorsque le même Monsieur Yoka va poser une question difficile et que je vais lever ma petite main pour répondre bien comme il faut et entendre le professeur me féliciter :

– Bravo, mon rêveur !

Malheureusement, au moment où je commence à faire le fier, le voilà qui ajoute :

– Dis-moi, Michel, ce sont les oiseaux qui t'ont soufflé cette bonne réponse ?

Et là, ça rit encore dans toutes les rangées alors que c'était moi qui avais récité sans bégayer que la rivière Louessé est un grand affluent du fleuve Niari, avec un bassin-versant de près de 16 000 kilomètres carrés ! Est-ce que ceux qui rigolent ont vraiment compris ce que ça veut dire ? Non. Moi-même je ne comprends pas ce que j'ai récité, mais puisque je l'ai dit comme c'était écrit dans le manuel que j'ai révisé le week-end, Monsieur Yoka ne peut pas contredire ça, et il est obligé de me dire bravo, puis d'effacer encore ce bravo lorsqu'il me traite de rêveur...

Louise me glisse parfois de petits mots pour me complimenter. Je ne me retourne jamais car Étienne et Zéphirin surveillent tout, et ils sont les premiers à rigoler quand on me traite de rêveur. À la fin, c'est pourtant à moi que Monsieur Yoka demande d'être leur chef dans la préparation de l'exposé de la semaine suivante. Donc, le professeur reconnaît que moi Michel je peux rêver des oiseaux, mais que je peux aussi sortir des choses qui sont justes et qui se reposent dans mon cerveau jusqu'à ce que je les réveille pour choisir comment je vais bien les utiliser et être intelligent dans la vie.

Je m'en fous que dans la cour de récréation les élèves me surnomment maintenant « le rêveur ». Ils ne savent pas que sur un de ses bouts de papier où elle me félicitait, Louise avait écrit, avec sa belle écriture : « *Fais-moi rêver* ». Et elle avait aussi dessiné deux cœurs, avec une ligne qui les traverse. Ça voulait dire que, lorsqu'on est amoureux, les cœurs font du cheval sur l'équateur, et c'est pour ça que ceux qui ne savent pas chevaucher tombent et se font très mal...

Lundi 21 mars 1977

La Chine en colère

– Michel, réveille-toi !

Je me frotte les yeux parce que je vois Maman Pauline en double, on dirait que c'est dans un rêve.

J'ai dormi avec mes habits, je ne sais plus à quel moment le sommeil m'a attrapé. Ah si, c'était quand je repensais aux bouts de papier que Louise m'envoie sous le table-banc en classe pour me féliciter alors que les autres me traitent de rêveur.

Je sors du lit et dis à ma mère :

– Il faut d'abord que je me lave parce que je…

– Non, on risque d'être en retard ! Utilise la trousse que je t'ai offerte, il y a un gant dedans, ça ira plus vite.

Je vais dehors avec un gobelet en plastique rempli d'eau et la trousse de toilette que ma mère m'a achetée au Printania. Dedans il y a une brosse à dents rouge, un dentifrice Émail Diamant, un savon Palmolive et des cotons-tiges.

Maman Pauline a sûrement couru dans ma chambre aussitôt que Papa Roger était sorti de la parcelle, habillé déjà en tenue de travailleur de l'hôtel Victory Palace alors qu'il peut le faire tranquillement là-bas. S'il se met en tenue depuis le quartier c'est pour jouer le fier. Il a raison parce que cette tenue est très belle : une chemise blanche et bien repassée, une cravate noire, une veste et un pantalon marron, des galons noirs sur les épaules et une jolie casquette comme celle des capitaines de la marine qu'on croise au port de Pointe-Noire.

Je peux calculer que c'était à peu près vers les cinq heures trente ou six heures du matin que mon père était parti de la maison. Maman Pauline est entrée dans ma chambre trente minutes plus tard. Elle a laissé ce temps juste au cas où Papa Roger serait revenu parce qu'il aurait oublié son portefeuille ou alors les clés de la maison où vit Maman Martine et où il dormira ce soir avec mes frères et sœurs qui, si on était des Européens, ne seraient pas mes frères et mes sœurs parce que nous n'avons pas le même sang et que Papa Roger avait une famille à lui quand il a baratiné Maman Pauline pour qu'elle devienne sa deuxième femme. J'ai déjà dit que moi aussi je vais souvent voir Maman Martine au quartier Joli-Soir et qu'elle ne fait pas de différence entre ses enfants et moi. Elle se comporte avec moi comme si j'étais sorti tout droit de son ventre. Elle sait que j'aime le petit Maximilien et la petite Félicienne qui fait pipi sur moi. Elle sait aussi qu'avec Marius nous nous parlons beaucoup parce que nous sommes du même âge. Quant à la petite sœur Mbombie, elle se met au garde-à-vous quand moi Michel je lui parle. La sœur Ginette est ma préférée, la grande sœur Georgette me gronde un peu, mais c'est sa façon de dire qu'elle m'aime. Enfin, c'est dans le studio du grand frère Yaya Gaston, l'aîné de tous, que moi Michel j'habite quand je suis là-bas…

Me voici en train de me soulager dans ces toilettes qui ne sont pas de vraies toilettes, mais seulement quatre tôles qu'on a rassemblées pour que les curieux ne voient pas la forme de notre nudité depuis la rue, sinon ils vont se moquer de nous chaque jour.

Je me brosse les dents, puis j'utilise rapidement le gant que je viens de mouiller avec le reste d'eau dans le gobelet. Je dois bien frotter les aisselles, mais aussi d'autres parties que je ne vais pas décrire ici sinon on va encore dire que moi Michel j'exagère toujours et que parfois je suis trop impoli sans le savoir.

J'entends déjà Maman Pauline qui m'appelle et me prévient que si on est en retard ce sera de ma faute :

— Habille-toi vite et viens me retrouver au salon, tu dois m'aider à faire quelque chose…

Qu'est-ce qu'elle veut vraiment que je fasse pour elle avant notre départ ? Je cherche, je cherche encore, je ne trouve rien. J'arrête donc de réfléchir. Je choisis un pantalon et une chemise en wax, avec plusieurs têtes du camarade président Marien Ngouabi dessinées dessus. Personne ne me dira que je n'aime pas notre chef de la Révolution. Tout le monde sera content de me voir vêtu de cette façon. Je n'oublie pas de mettre mon étoffe noire de deuil autour de mon bras, elle m'a quand même coûté cent francs chez ces enfants escrocs qui profitent de la mort des présidents pour s'enrichir. Avec ma tenue et cette étoffe noire, si on me dit n'importe quoi c'est que ce serait vraiment de la méchanceté parce que, franchement, même le jaloux qui me croisera, s'il est honnête, il comprendra que moi Michel je suis le plus endeuillé de tous les garçons de Pointe-Noire, et peut-être aussi de tous les collégiens du Congo.

C'est la première fois que je vais sortir avec ces chaussures que les collégiens appellent *La Chine en colère*. J'avais embêté plusieurs fois Papa Roger pour qu'il me les offre parce que tout le monde en parlait et tout le monde les portait. Quand mon père les a vues au moment où je les sortais du carton, il a crié :

– C'est donc ça les *La Chine en colère* ???

Il m'a critiqué en disant que c'était ridicule de se balader avec ça, on dirait qu'on porte des chaussons dans une maison de retraite des Blancs et que même les Blancs ne mettront jamais ça.

– Ça ressemble aussi à des ballerines ! C'est pour la danse classique ou quoi ?...

Moi je ne suis pas d'accord avec lui car si vraiment tu n'as pas les *La Chine en colère*, au collège on te prend pour un taureau sans allure, c'est-à-dire un idiot qui ne sait pas s'habiller comme les aventuriers qui vont à Paris pour revenir au Congo pendant la grande saison sèche et épater les filles. La mode de ces chaussures a attrapé notre pays depuis qu'on a vu le film *Opération Dragon* où Bruce Lee portait des *La Chine en colère*, des chaussettes blanches avec un kimono blanc en haut et noir en bas. Dans toutes les salles de cinéma de Pointe-Noire on applaudissait, on savait déjà que c'était Bruce Lee qui allait gagner à la fin car, grâce à ses *La Chine en colère*, ses pieds se déplaçaient tellement vite qu'il ne fallait pas clignoter des yeux une seconde, autrement tu n'allais pas voir quand il balance des savates sur le méchant qui s'appelle O'Hara et qui est deux fois plus grand de taille que lui. O'Hara c'était quelqu'un qui ne rigolait pas : avec un seul coup de poing il te cassait une brique. Bruce Lee, même s'il était le plus petit, barrait tous les coups. Grâce à ses *La Chine en colère* il décollait très haut en l'air, une jambe en avant pour cogner, l'autre qui formait un triangle pour donner de la force.

Les bandits de Pointe-Noire achètent tous maintenant des *La Chine en colère* pour être forts au moment de la bagarre, ou alors pour courir à toute vitesse quand ils sont poursuivis par la police. Mes *La Chine en colère* à moi sont noires comme celles de Bruce Lee dans *Opération Dragon*, mais je ne vais pas mettre des chaussettes blanches parce que la mode au collège c'est sans chaussettes et avec un pantalon court qui laisse voir les chevilles. Donc, je remonte comme il faut mon pantalon, et j'imite le jeu de jambes de Bruce Lee. Je me sens léger, on dirait que mes pieds ne portent rien. Je suis trop content que ça ne marche pas seulement dans les films mais aussi dans la vraie vie, même ici à Pointe-Noire.

Lorsque je quitte ma chambre pour aller impressionner ma mère, c'est elle qui m'impressionne et me fait très peur : elle est là, assise au milieu du salon, elle me tourne le dos, avec un pagne qui la couvre de partout. Je ne vois que sa tête qui n'a plus le foulard noir de deuil.

– Approche vers moi, elle me dit.

Il y a sur la table son sac à main et, à côté, un savon, des ciseaux et un paquet de lames Gillette.

– Rase-moi tous ces cheveux…

Là, je commence à m'inquiéter. Ses cheveux, je les aime, et je ne veux pas qu'elle les abîme. En plus, elle a encore les tresses que Célestine lui a faites il n'y a pas longtemps. Normalement ça dure un ou deux mois, pas une ou deux semaines, avant de les détresser pour une nouvelle coiffure.

Je ne peux pas contredire Maman Pauline dès le matin sinon la journée partira en fumée de feu de brousse depuis notre salon pour mal finir au Grand Marché là-bas où elle ne fera que m'engueuler devant les commerçantes et les clients.

Je passe derrière elle, j'évite de renverser le seau d'eau qui est à côté.

– Qu'est-ce que je dois faire, maman ?

– C'est simple : tu coupes d'abord les tresses avec les ciseaux, ensuite tu mets de la mousse, puis tu prends une Gillette pour tout raser proprement comme quand Roger enlève sa barbe. Fais attention de ne pas me blesser !

J'hésite encore parce que je me dis qu'elle va peut-être changer sa décision quand elle va s'imaginer devenir vilaine à cause de son crâne qui n'aura plus rien dessus.

– Mais qu'est-ce que tu attends, Michel ? Qu'on soit en retard ? Allez, dépêche-toi et arrête de rêver !

Je prends les ciseaux et, tchak ! tchak ! tchak !

Les cheveux tombent autour d'elle. Plus je coupe, plus je m'habitue. J'ai fait le tour de la tête en moins de cinq minutes.

Maman Pauline passe sa main droite dessus :

– C'est bon ! Maintenant, mouille ma tête et mets de la mousse de savon dessus…

Je prends de l'eau dans mes paumes, je la verse sur sa tête, et je frotte ensuite le savon.

– La Gillette maintenant ! Et fais attention !

C'est plus compliqué avec la Gillette. Je tremble un peu car je vois d'avance comment le sang de ma mère va couler si je la blesse. Je bloque mon souffle, je respire un coup et hop, je fais pencher sa tête en arrière, je rase petit à petit en partant du front jusqu'en bas de la nuque. Quand une boule de mousse remplie de cheveux tombe par terre, ça fait un bruit comme lorsqu'on balance un gros crachat qui vient du fond de la gorge.

Ma mère ne bouge pas, elle a les yeux fermés, elle me fait confiance parce que jusque-là je ne l'ai coupée nulle part.

Sa tête est désormais toute nue, on dirait les femmes qui font le deuil. Elle a une petite cicatrice près de la nuque, je ne découvre ça qu'aujourd'hui.

– Je m'étais blessée quand j'avais dix ans et que j'accompagnais ta grand-mère Henriette aux champs, à Louboulou. Il pleuvait ce jour-là, j'étais tombée sur la nuque. Je n'ai jamais su comment j'avais fait pour glisser bêtement à cause d'un tout petit noyau de mangue. Je m'étais réveillée au dispensaire du village d'à côté, Moussanda. Qu'est-ce que tu veux, c'est la vie…

Elle passe encore la main sur son crâne, du front jusqu'à la nuque où il y a la cicatrice.

– C'est bon, je crois que tu as réussi ! De toute façon, le foulard cachera la cicatrice…

Elle se met debout, enlève le pagne qui la couvrait pendant que moi je balaye tout autour. Elle se lave la tête avec l'eau qui est dans le seau. Ça ne lui prend que quelques minutes, et elle disparaît dans leur chambre.

Dix minutes après, la voilà qui ressort, habillée en noir, des pieds à la tête. Moi je suis encore plus surpris :

– Maman, là c'est trop, même les aveugles vont voir que nous sommes vraiment en deuil !

– Est-ce que nous ne sommes pas en deuil dans cette maison, hein ?

Et c'est à elle de me regarder des pieds à la tête :

– C'est quoi cet habillement de pousse-pousseur zaïrois ? Regarde-moi ces pantoufles ! Vraiment Roger ne sait plus quoi t'offrir !

– C'est à la mode au collège, ça s'appelle *La Chine en colère* et…

– *La Chine en colère* ! Bon, on n'a plus le temps pour que tu changes ça, tu iras comme tu es, tant pis !

Au moment où elle se penche pour prendre son sac à main sur la table, son pied droit cogne contre le seau d'eau que je n'ai pas encore rangé. Heureusement qu'elle attrape un bout de la table quand elle manque de tomber, mais c'est son sac à main qui tombe à sa place. Les pièces de monnaie roulent et s'éparpillent partout dans le salon, avec les autres objets comme le cadenas de sa malle en fer dans laquelle elle range ses pagnes, les papiers importants. Son petit miroir se casse juste à côté des crayons qu'elle utilise pour dessiner ses sourcils. Son cahier dans lequel elle note avec Papa Roger les noms des commerçantes qui lui doivent de l'argent se retrouve loin là-bas, mais au moment où je vais le rechercher, il y a quelque chose qui me surprend et qui est juste près du cahier : un grand couteau neuf que ma mère s'empresse de remettre dans son sac…

Les Bandas

Les frontières sont fermées du nord au sud et de l'ouest à l'est. Donc personne ne peut se rendre dans d'autres pays comme le Cameroun, le Gabon, le Zaïre et l'Angola où beaucoup de commerçants achètent leur marchandise en gros pour la revendre en détail chez nous. Les quelques camions qu'on voit à l'entrée du Grand Marché ne ramènent que de la viande de bœuf ou de mouton parce qu'on n'a pas besoin de voyager à l'étranger pour acheter ces animaux domestiques. Quant aux fruits et aux légumes qu'on décharge plus loin là-bas, ça vient des villages congolais proches du Cabinda. Depuis trois jours les gens sont obligés d'acheter les bananes plantain de mauvaise qualité. Elles ne viennent pas du village Les Bandas où c'est meilleur et où Maman Pauline est la seule à qui les paysans les vendent car elle paye cash et ne les embrouille pas en disant qu'elle va d'abord régler une moitié, puis l'autre elle la réglera à son prochain voyage. À Les Bandas, c'est ma mère qui est la patronne, et c'est elle qui est la plus respectée des commerçantes. Elle ne se rend pas là-bas les mains vides : elle offre aux paysans des paquets de cigarettes, des brosses à dents, des marmites en aluminium, des pagnes, du sel, et parfois des bouteilles de vin rouge. Ces paysans sont heureux de la voir arriver, et ils l'accueillent bien comme il faut, on dirait qu'elle est un membre direct de leur famille. Je me rappelle encore que je suis allé dans ce coin trois fois. La première fois parce que Maman Pauline voulait leur montrer qu'elle avait un enfant, j'étais au cours préparatoire ; la deuxième fois, parce que le chef du village ne m'avait pas vu la première fois et faisait un peu la gueule à ma mère, et la troisième fois c'était l'année dernière quand elle nous montrait, à Papa Roger et à moi-même, le terrain que les villageois venaient de lui offrir. Je peux dire qu'on m'avait vraiment gâté avec beaucoup de cadeaux la première fois : un sac d'écolier en peau de mouton, un grigri pour qu'une voiture ne m'écrase jamais quand je vais à l'école, et on m'avait fait manger un peu de cerveau de chat parce que, d'après ces villageois, ça rend très intelligent et on voit très clair le jour des examens. Ce n'est pas tout : quand j'étais à Les Bandas il fallait que je mange chez chaque paysan qui commerce avec ma mère parce que si je ne mange seulement que chez l'un, les autres vont être tristes et se dire que Maman Pauline ne les aime pas, ou qu'elle aime plus les uns que les autres. Or, dans le commerce, il ne faut pas rendre malheureux les fournisseurs sinon cela accroche leurs regrets à la marchandise, et plus personne ne voudra l'acheter. Donc, ma mère m'avait dit :

– Michel, ils vont tous vouloir que tu manges chez eux, ne refuse pas. Tu goûtes un peu ici, tu goûtes un peu là, sans remplir ton ventre, comme ça tout le monde sera satisfait.

Moi je me disais au fond de moi que le problème c'est que quand une nourriture est trop bonne tu ne peux pas dire à ton ventre d'attendre la prochaine parce que, si celle-ci n'est pas appétissante, tu vas regretter de n'avoir pas fini ton assiette chez la famille d'avant...

À Les Bandas, Maman Pauline fait toujours une grande réunion avec ses fournisseurs au milieu du village. Chacun d'eux dit le nombre de régimes de bananes qu'il veut vendre, et c'est le chef du village qui fixe le prix global en discutant avec ma mère, loin de tous. Quand ils reviennent devant le groupe, c'est déjà fait, Maman Pauline a glissé de l'argent en cachette au chef qui ne fait plus que sourire, et c'est lui qui reversera l'argent aux fournisseurs dès que ma mère sera partie. Mais attention, ma mère donne un petit plus pour le chef aussi, et ce petit plus n'est pas connu des paysans. C'est pour ça que ce vieil homme a le sourire et empêche n'importe quelle autre personne de venir concurrencer ma mère dans ce village. Ce chef, qui est de l'ethnie vili, a même donné un vaste terrain à ma mère l'an passé, juste à l'entrée du village. Maman Pauline lui a promis qu'elle construira un jour une grande maison sur ce terrain, nous vivrons là-bas, comme ça ma mère sera à zéro mètre de la marchandise, et elle aura elle-même ses propres bananeraies. Pour l'instant, elle n'a fait que planter sur cette grande propriété des arbres fruitiers, et elle paye quelques jeunes villageois pour couper les mauvaises herbes sinon l'endroit va devenir une brousse, et on ne retrouvera jamais notre terrain.

Donc, aujourd'hui, je ne suis pas étonné qu'il n'y ait pas de bananes plantain venues de Les Bandas : pour y aller, on doit prendre la micheline qui ne fonctionne plus depuis le couvre-feu ordonné par le Comité Militaire du Parti qui pense que les bandits se cachent souvent dans les villages...

Dans le taxi

Dans le taxi jaune Maman Pauline ne parlait pas, sauf au moment où on a dépassé le rond-point Kassaï. Là, j'ai bien entendu ce qu'elle murmurait pour elle-même :

– Cette Nordiste va comprendre aujourd'hui qui est Pauline Kengué !

J'ai fait semblant de n'avoir pas compris :

– Tu as dit quoi, maman ?

– Rien…

– Tu as parlé de la Nordiste, et tu…

– Si tu as bien entendu ce que j'ai dit, pourquoi tu me le demandes encore ?

Elle a regardé par la fenêtre le camion militaire qui nous dépassait, et elle a ajouté :

– Dieu est bizarre… Comment Il peut accepter qu'un homme gentil comme Kimbouala-Nkaya parte et nous laisse avec ses assassins qui sont en train de fêter leur victoire ?...

Le taxi roulait lentement pendant que la ville de Pointe-Noire aussi se réveillait petit à petit, avec des passants qui avaient la mine de ceux qui n'ont pas dormi depuis trois jours. Je voyais les pousse-pousseurs zaïrois transporter des briques, des lits ou des frigidaires, et ils transpiraient alors que le soleil n'était pas encore arrivé. La police était à chaque rond-point, mais on aurait dit que les policiers chômaient car ce n'était pas comme quand ils sont débordés par les embouteillages et sifflent sans s'arrêter. Là, ils ne pouvaient plus se plaindre que leur travail est le plus difficile du monde dans cette ville où il y a trop de voitures d'occasion et des mobylettes sans frein et sans klaxon.

Beaucoup de camions de l'Armée Nationale Populaire prenaient la direction de la base militaire, du côté du quartier Bloc-55. Les militaires avaient leur arme pointée sur les gens qu'ils croisaient, mais ceux-ci avaient surtout peur de leurs lunettes noires. Moi je me disais : Ils ont fini le couvre-feu, ils vont se reposer un peu à la base militaire, et ils vont revenir tout frais dans nos quartiers à partir de dix-neuf heures pour continuer à bien nous effrayer. Je me disais aussi que s'ils avaient des lunettes noires c'est parce qu'ils fument trop le chanvre, et quand ils n'ont plus ça, ils cassent les cartouches de leur PMAK, récupèrent la poudre qui est dedans, la versent dans leur café qui devient très fort et les rend méchants comme s'ils avaient bu du Johnnie Walker Red Label que les capitalistes noirs donnent à leurs bouledogues pour effacer la pitié dans leur cœur. Donc ces lunettes noires servent à cacher qu'ils sont des chanvreurs qui exécutent les gens comme on exécute les animaux que les camions livrent ce matin au Grand Marché pour être mangés avec du foufou, du manioc et du piment rouge. Sauf que les tueurs d'animaux à l'abattoir de Pointe-Noire ne sont pas obligés de fumer le chanvre comme les militaires puisque tout le monde est malheureusement d'accord que la vie de l'animal c'est zéro, ça ne compte pas, on peut le tuer sans être mis en prison.

Si je fais cette réflexion sur les animaux c'est que je pense malgré tout à Mboua Mabé. Comment je pourrais l'oublier alors que c'est ici, dans ce marché, que nous l'avons acheté par pitié quand, en me regardant dans les yeux, ce chien malheureux me disait que c'est moi Michel qu'il attendait, qu'il voulait être dans notre famille parce que moi j'étais quelqu'un de bien, avec un papa qui n'est pas grand de taille, donc qui n'est pas méchant et aime les animaux de la même manière qu'il aime les êtres humains ? C'est ici également que Mboua Mabé me soufflait que si je le laissais partir avec quelqu'un d'autre il serait foutu pour de bon, et il avait promis qu'il serait très gentil, qu'il ne mordrait pas les gens honnêtes, qu'il ne mangerait pas beaucoup et garderait notre maison comme si c'était sa propre niche qu'un chat voudrait lui voler. Ça je dois le rappeler, et ce n'est pas grave si je le répète mille fois. Oui, j'en veux à Mboua Mabé parce que, en vérité, tout ce qu'il me faisait sentir dans son regard malheureux c'étaient des paroles en l'air puisque, quand il a entendu à la radio que le camarade président Marien Ngouabi avait été assassiné, il s'est enfui tel un lâche…

Au Grand Marché

Nous avançons au milieu des tables du Grand Marché. À chaque pas que nous faisons, les commerçantes saluent Maman Pauline avec respect et lui demandent qui est mort dans notre famille pour qu'elle se mette toute en noir comme ça. Et puis, quand elles me découvrent juste derrière, elles ont envie d'éclater de rire, mais elles se retiennent parce qu'on ne peut pas être en même temps triste pour quelqu'un endeuillé et se moquer de son enfant à cause de son accoutrement.

– Pauline, qui vient de mourir dans ta famille ?

C'est la question qui sort de toutes les bouches. Ma mère répond qu'elle est en deuil, que pour l'instant elle ne veut pas parler de ça parce qu'elle est venue pour autre chose.

Madame Boudzouna, qui est de l'ethnie des Babembe comme nous, commence à pleurer alors qu'elle n'a pas encore vu la figure de la personne qui est morte :

– C'est triste, Pauline ! C'est vraiment triste ! Pourquoi le bon Dieu te punit, hein ? Tu es pourtant une femme bien !

Madame Missamou-Miaboumabou, qui est la sœur jumelle de Madame Boudzouna, pleure, elle aussi :

– Pauline, qui est mort ? Dis-nous au moins quand est l'enterrement et où se passent les funérailles ! Qui s'occupe du cahier des cotisations pour que ma sœur et moi nous donnions notre participation ?

La commerçante Augustine Zonza-Tawa, une femme de l'ethnie des Lari, sort trois billets de mille francs CFA froissés et sales, et elle me les tend :

– Tiens, mon enfant, garde ça, c'est ma participation.

Maman Pauline lui rend ces trois mille francs froissés et sales que je voulais déjà fourrer dans la poche de mon pantalon.

Elle dit à Madame Augustine Zonza-Tawa :

– Non, ça ira, Augustine, il n'y aura pas de cotisation à faire…

Mama Nsona-Ndemboukila, une autre Lari, commence à nettoyer son rouge à lèvres et son fard pour être moins belle et montrer qu'elle est triste comme Maman Pauline :

– Pauline, je passe chez toi dès ce soir, tu ne peux pas rester seule comme si tu n'avais pas d'amies dans ce marché et dans cette ville ! Il n'y a pas que le commerce et l'argent dans la vie, c'est pendant des moments difficiles comme ça qu'on mesure qui est qui et qui aime qui !

– Vraiment merci, Mama Nsona-Ndemboukila, mais ne passe pas à Voungou, je ne serai pas à la maison de toute façon…

En quelques minutes seulement, le bruit a couru dans le Grand Marché que ma mère est endeuillée, et le groupe de commerçantes ne fait plus que grossir autour de nous. Je les compte, elles sont maintenant trente-deux à poser des questions, et elles ne font plus attention à moi. Y en a qui lui remboursent l'argent qu'elles lui doivent depuis des mois. Parfois Maman Pauline prend l'argent, parfois elle refuse :

– Non, Mâ Milébé, tu as déjà quatre enfants à nourrir, ton mari est mort il n'y a même pas deux mois, tu feras un geste quand tu pourras, c'est pas urgent pour moi…

– Pauline, vraiment crois-moi, là je peux te payer à cent pour cent parce que je sais qu'il faut que tu achètes le cercueil, la nourriture pour la veillée, le café pour tout le quartier, etc. En plus, à la morgue de Pointe-Noire, garder un cadavre ça coûte très cher, tout ça parce que ces gens profitent du malheur des autres, et le gouvernement ne…

– Ne t'inquiète pas, Mâ Milébé, ça ira…

Mâ Yvonne Kouloutou-Yabassi écarte toutes les femmes pour arriver jusqu'à ma mère.

– Dégagez ! Dégagez ! Laissez-moi parler à Pauline ! Pourquoi vous la fatiguez comme ça, on dirait des moineaux qui bavardent, qui bavardent sans trouver de solution ?

Les commerçantes reculent avec respect. Personne n'ose contredire Mâ Yvonne Kouloutou-Yabassi. Si elle agit de la sorte, c'est parce qu'elle est la plus âgée, et on l'appelle aussi « Maman la Doyenne ». Moi je ne peux pas savoir son âge car elle n'a jamais changé, et je la vois dans ce marché depuis l'âge de deux ans. Ses cheveux sont tout gris, mais elle n'a aucune ride sur le visage, il n'y a que sa voix qui trahit qu'elle a peut-être soixante-dix ans ou plus, ou moins, parce qu'à l'époque où elle est née les actes de naissance n'existaient pas, et quand on a commencé à faire les actes de naissance, on a été obligé de leur donner un âge selon leur taille ou selon que leur figure semblait jeune ou fatiguée. Donc Maman la Doyenne fait partie des gens à qui on a écrit sur leur acte de naissance : « *Né(e) vers…* »

Maman la Doyenne est surtout très connue parce qu'elle est la présidente de l'AFGM, l'Association des

Femmes du Grand Marché. Ça veut dire que c'est elle qui gère les cotisations que versent chaque mois les commerçantes. Avec cet argent, quand une des commerçantes du Grand Marché perd un membre de sa famille, eh bien on lui donne quelque chose. Et c'est pour ça qu'après avoir bien écarté toutes les autres femmes, elle annonce fièrement à ma mère :

– Pauline, l'AFGM va régler tous les frais des funérailles, et quand je dis tous les frais des funérailles, c'est tous les frais de A à Z et...

– Non, Maman la Doyenne, c'est gentil, ça ira...

Et ma mère prend Maman la Doyenne un peu à l'écart. Elles s'éloignent de deux ou trois mètres des autres commerçantes qui les guettent avec curiosité car elles veulent savoir ce que les deux se disent et pourquoi elles ne le disent pas devant tout le monde.

Moi aussi je suis curieux, et donc je les suis pour écouter ce qu'elles vont se murmurer.

C'est ma mère qui commence :

– Maman la Doyenne, tu sais où est Antoinette Ebaka ?

Maman la Doyenne est très surprise :

– Y a un problème ? Normalement les lundis elle vient vers neuf heures parce qu'elle a une réunion avec ses collègues de l'Union Révolutionnaire des Femmes du Congo.

Maman Pauline ouvre son sac, plonge une main dedans. Elle commence à fouiller, et moi je me demande ce qu'elle veut faire. Elle cherche sa montre pour savoir quelle heure il est. Elle ne la porte jamais dans le marché parce que les voleurs ont des fétiches qui leur permettent de piquer les montres sans que leurs propriétaires voient à quel moment ça s'est passé.

Moi aussi je guette la montre de Maman Pauline : il est exactement huit heures dix, et ma mère doit attendre encore presque une heure. C'est trop pour elle, elle ne va pas tenir pendant tout ce temps. Elle se retourne et hurle aux femmes qui nous guettent depuis là-bas :

– Écoutez-moi bien, je vais aller patienter en face, dans la buvette *Chez Gaspard*. Si l'une d'entre vous aperçoit Antoinette Ebaka, dites-lui que je l'attends là-bas et que je n'ai pas que ça à faire dans ma vie !

Les commerçantes se parlent entre elles, puis elles s'éparpillent. Chacune rejoint sa table, on dirait qu'elles ne veulent pas que leur nom soit mêlé dans cette histoire.

Maman la Doyenne dit à ma mère :

– Ne va pas dans cette buvette maintenant, Pauline…

– Pourquoi ? C'est interdit d'aller patienter là-bas ?

– Je suis ton aînée, et je peux aussi être ta mère. C'est un conseil, Pauline, écoute-moi. Quand je te regarde j'ai l'impression que ce n'est pas la Pauline Kengué que je connais…

Maman Pauline ne l'écoute pas, elle serre bien son foulard noir sur la tête, elle arrange son pagne autour des reins, et elle me fait signe du regard qu'il faut qu'on quitte ce marché qui se remplit de plus en plus comme si on avait oublié que le corps du camarade président Marien Ngouabi n'est pas encore sous terre pour vivre une vie normale comme ça. Moi qui croyais que le matin les militaires devaient regagner leur base pour revenir nous surveiller pendant le couvre-feu à partir de dix-neuf heures, je suis étonné de voir que des centaines d'autres militaires tout frais descendent des camions et se mêlent à la foule du marché. À leur approche certains s'écartent, d'autres s'enfuient comme s'ils étaient des voleurs. Les militaires sont armés jusqu'aux dents, avec des lunettes noires de la qualité de celles que j'ai vues tout à l'heure depuis la fenêtre du taxi jaune. Ils avancent en groupes, montrent du doigt les attroupements, arrêtent n'importe qui et disent que c'est un contrôle pour la sécurité du marché. De temps en temps ils demandent les cartes d'identité et tutoient les gens lorsqu'ils posent les questions :

– C'est un contrôle de routine… Tu as des parents à Brazzaville ? Tu as un membre de ta famille dans l'armée ? C'est quoi ton ethnie ?

Je me dis que ça ne va pas être possible que ma mère se fâche trop avec cette Antoinette Ebaka parce que, à cause du titre de cette femme, « responsable de l'Union Révolutionnaire des Femmes du Congo du Grand Marché », s'il y a un problème, ces militaires vont prétendre que c'est la Nordiste qui a raison et que c'est ma mère qui est méchante parce qu'elle est sudiste.

C'est maintenant qu'il faut que j'arrête tout ça :

– Rentrons à la maison, maman…

– Qu'est-ce que tu as dit ?

– C'est mieux qu'on rentre, maman.

Elle sort un billet de dix mille francs CFA de son sac, elle ferme le visage, et ses yeux deviennent rouges :

– Tiens cet argent ! Puisque tu as peur comme un dindon mouillé, prends un taxi jaune, rentre à Voungou, comme ça le capitaine Kimbouala-Nkaya sera fier de toi dans l'autre monde !

– Mais, maman, je…

– Vas-y ! Laisse-moi régler mes affaires toute seule !

Je ne prends pas le billet et je ne bouge pas. Elle remet l'argent dans le sac et commence à sortir du marché.

Comme je ne sais plus ce que je dois faire, je reste sur place, puis je me déplace en gardant un œil sur Maman Pauline qui continue à progresser.

Sur le chemin, je tombe sur un vieux monsieur en train de vendre des chiens. Il y en a plus d'une vingtaine qui se disputent la nourriture que le vendeur leur donne. Je me rapproche de très près, il y en a un qui ressemble vraiment à Mboua Mabé.

– Mboua Mabé ! Mboua Mabé ! je hurle.

Le chien en question dresse les oreilles et remue la queue. Il a ces mêmes yeux qui m'avaient regardé, et je me souviens aussi que c'est à ce même endroit que Papa Roger et moi nous avions acheté Mboua Mabé ! Oui, c'est lui. Je ne peux pas me tromper. Quand il me fixe, j'ai comme des frissons, mes cheveux aussi se dressent. Mboua Mabé est là ! Il est revenu au point de départ ! Mais c'est fini, j'ai déjà fait son deuil. Et puis je n'ai pas d'argent pour le racheter à ce vieux. Même si Papa Roger était avec moi, et que je l'avais supplié qu'on rachète Mboua Mabé, il me dirait que ça suffit, qu'il a déjà donné. Alors, je poursuis mon chemin, je tourne le dos à ce chien qui est en train de pleurer comme un coyote.

Un monsieur me bouscule et ricane :

– Petit, ton accoutrement, là, ça tue de loin ! Tu es le fils caché du camarade président Marien Ngouabi ou quoi ?

Plusieurs personnes se joignent à lui, m'entourent et rigolent très fort. J'aperçois même, loin là-bas, des militaires qui rient aussi de moi au lieu d'être tristes, au lieu de me féliciter parce que je suis un vrai fanatique de notre chef de la Révolution.

Je m'enfuis comme un voleur de papayes. Les *La Chine en colère* m'aident beaucoup car mes pieds sont légers, et je saute, et je pivote à gauche, et je pivote à droite, je m'en fous de ceux qui éclatent encore plus de rire, ils s'écartent quand même parce qu'ils croient vraiment que j'ai des problèmes dans mon cerveau.

Je fonce tout droit, et j'arrive vers les dernières tables du marché d'où j'aperçois Maman Pauline qui vient juste d'arriver devant la buvette *Chez Gaspard*…

Chez Gaspard

Je suis encore très essoufflé derrière Maman Pauline qui observe l'intérieur de *Chez Gaspard*. Il y a plus d'une centaine de femmes là-dedans, elles sont toutes habillées avec des pagnes rouge vif, la couleur de notre drapeau national, et sur ces pagnes est écrit *Union Révolutionnaire des Femmes du Congo*, avec les têtes du camarade président Marien Ngouabi et de sa femme noire Céline Ngouabi. Heureusement que mon ensemble n'a pas cette même couleur sinon on pourrait croire que je suis moi aussi une femme qui vient rejoindre ce groupe.

C'est donc ici que se passe la réunion dont parlait Maman la Doyenne. Elle savait qu'Antoinette Ebaka était dans cette buvette, mais elle n'avait pas voulu dévoiler ça à ma mère parce qu'elle ne souhaitait pas entrer dans les problèmes des gens. C'est son âge qui lui a soufflé cette sagesse, et moi je dis qu'elle a raison à cent pour cent car les vieilles mamans n'ont jamais tort, elles ont un nez qui sent les ennuis venir de loin, de très loin...

Maman Pauline s'égosille :

– Où es-tu cachée, Antoinette ? Montre-toi si tu es une courageuse !

Les femmes de l'Union Révolutionnaire se retournent toutes et regardent vers l'entrée de la buvette. Elles sont étonnées sur-le-champ par la tenue noire de ma mère qui se voit encore plus parce que tout le monde ici est en rouge. Leur silence dure à peine trente secondes, mais c'est comme si ça faisait une heure que plus personne ne parle là-dedans jusqu'à ce que, tout à coup, quelque chose tombe par terre, on dirait plusieurs verres qui se cassent : c'est la serveuse qui a fait tomber son plateau et qui reste bouche bée à observer Maman Pauline, à faire des allers-retours avec sa tête entre ma mère et une femme assise au fond là-bas, entourée d'autres femmes. Moi je devine immédiatement que c'est elle la fameuse Antoinette Ebaka. Elle est vraiment très musclée, on dirait qu'elle décharge les sacs de ciment au port de Pointe-Noire. Elle a des mâchoires de réservoir de Vélo-SoleX et les cheveux coupés très court à la manière des hommes qui demandent au coiffeur d'utiliser une Gillette pour tracer une raie depuis le front jusqu'au milieu de leur crâne…

La femme lui répond :

— Je suis là, Pauline. On a une réunion très importante, comme tu peux le constater. Si c'est pour l'argent que je te dois je peux te…

Maman Pauline n'écoute pas la fin de sa phrase, elle avance à grands pas dans la direction d'Antoinette Ebaka, la main bien levée au-dessus de la tête. C'est quand elles découvrent la lame de ce long couteau qui brille avec la lumière du jour que toutes les autres femmes se mettent à hurler, à crier au secours, à courir à gauche et à droite pendant que moi j'essaye de rattraper Maman Pauline. C'est trop tard, oui, c'est trop tard, elle a déjà frappé le premier coup, et elle frappe le deuxième…

113, avenue Linguissi-Tchicaya

Je traverse le quartier du Grand Marché comme un dératé. Je n'ai jamais couru à une vitesse pareille. Quand je dépasse les gens, je me retourne sans m'arrêter, et je les aperçois de très loin. C'est là que je me dis que je cours vraiment très vite.

J'entends parfois des éclats de rire derrière moi. Peut-être à cause de mon accoutrement, ou alors de cette manière de courir, un peu de côté, le dos bien rond comme si j'étais un bossu...

Je prends une petite ruelle sans nom et me retrouve dans la parcelle d'une famille en train de manger. C'est une réunion : il y a au moins quarante individus qui me regardent avec de gros yeux avant de me crier dessus, puis de me balancer des cuillères et des fourchettes que j'esquive comme je peux.

– Imbécile ! Voleur !

Ils me prennent pour un de ces voleurs du Grand Marché qui traversent leur parcelle presque tous les jours.

La sueur coule de plus en plus sur mes yeux. J'essuie le front avec mon poignet droit, je ne m'arrête pas. Au contraire, je fonce.

Me voici sur l'avenue Paillet où je croise plusieurs voitures de police qui vont vers le marché. Leur sirène et leur gyrophare poussent les automobiles à s'écarter et à les laisser rouler à tombeau ouvert.

Mais elles arriveront trop tard. Elles ne savent pas encore que Maman Pauline a déjà été embarquée, pas par une voiture de police, mais par un camion rempli de militaires.

Pendant que ces voitures passent, je sautille sur place, on dirait que je fais du footing.

La dernière vient de disparaître, je décide d'aller à droite, en direction de l'avenue Moé-Kaat-Matou.

Mon dos toujours bien rond, je serre les dents, j'accélère.

Cette avenue est plus tranquille que l'avenue Paillet, avec des banques et des restaurants très chers qui ne sont fréquentés que par les Blancs et les capitalistes noirs. Ce n'est pas parce que c'est calme ici qu'il faut que je ralentisse ma course. Non, non, et non !

J'arrive au boulevard Charles-de-Gaulle. Je dois trouver l'avenue Agostinho-Neto comme me l'avait expliqué Papa Roger et, si je ne me trompe pas, c'est encore à plus de trois cents mètres, à ma droite.

J'aperçois un camion militaire qui vient vers moi. Je ralentis, je fais comme si je me rendais quelque part et recherchais le nom de la rue. Le camion arrive à ma hauteur. Il va sûrement s'arrêter, on va me demander ce que je fais dans ce quartier et pourquoi je cours comme si j'avais volé quelque chose. Je reconnais le bruit des armes, clap ! clap ! clap ! Je vois qu'on les pointe maintenant vers moi. Je ferme les yeux. Mais brusquement, j'entends des rires : mon accoutrement ! Les militaires se sont rendu compte que je suis un vrai fanatique du camarade Marien Ngouabi. Les voilà qui me saluent, puis le camion accélère vers le Grand Marché.

Je souffle. Je tremble. S'ils savaient qui je suis et ce qui vient de se passer au Grand Marché, ils m'embarqueraient immédiatement...

Je reprends ma course.

Oui, courir.

Arriver à temps. Suivre la direction du camion militaire dans lequel on a balancé Maman Pauline comme un sac de patates. Mais ça fait longtemps que ce camion a disparu, entre le temps où je suis allé téléphoner à Papa Roger à la Poste et celui où il m'a dit :

— Suis la direction du camion, je suis sûr qu'il va au 113, avenue Linguissi-Tchicaya, et tu m'attends là-bas...

Dans ce camion, les militaires sont certainement en train de faire des misères à ma mère. Qu'est-ce qu'il y a au 113, avenue Linguissi-Tchicaya ? C'est la première fois que j'entends parler de cette adresse. Papa Roger m'a dit :

— C'est à Mpita, pas loin de la Côte Sauvage et du cimetière des Blancs...

Même si je n'ai jamais mis les pieds là-bas, j'ai moi aussi entendu des histoires bizarres qui se passent dans les parages de la Côte Sauvage : des sorciers qui font leurs grigris à quatre heures du matin sur la plage, des corps qui flottent sur l'eau, des albinos qu'on sacrifie et qu'on retrouve dépecés...

Le camion dans lequel Maman Pauline a été emportée et qui va vers Mpita était comme ceux qui passent dans notre quartier : tout noir, avec un capot rouge vif comme le drapeau de notre Révolution. Les vitres étaient fumées, je ne pouvais pas bien voir la figure du chauffeur ni celle des types assis à côté de lui. Derrière, il y avait des militaires qui hurlaient de joie. Je revoyais comment ils avaient traîné Maman Pauline par terre, comment ses habits se déchiraient, comment elle était déjà inanimée et ne savait même pas qu'on la projetait à l'intérieur d'un camion, au milieu d'hommes armés qui avaient peut-être fumé le chanvre toute la nuit pour être éveillés pendant le couvre-feu.

Ces militaires ne vont pas lui faire de cadeau. Ma mère est belle, elle est jeune. Les hommes se retournent dans la rue pour la regarder. Papa Roger est jaloux dès que quelqu'un d'autre lui dit que sa femme est jolie.

Oui, ma mère est très belle et jeune, et moi j'ai très peur à cause de ça.

Mais je ne veux pas y penser.

Je dois effacer ça de ma tête, n'écouter que ce que Papa Roger m'a dit, même si j'ai perdu de vue le camion militaire :

– Suis la direction du camion, je suis sûr qu'il va au 113, avenue Linguissi-Tchicaya, et tu m'attends là-bas…

Pendant que je cours et que je sens de plus en plus l'odeur de l'océan Atlantique, je me revois tout petit. Maman Pauline me tient la main, nous marchons sur le bord de l'avenue de l'Indépendance pour aller voir Tonton Albert Moukila. Elle me dit d'être sage, de répondre à toutes les questions de mon oncle. Je lui promets que je serai l'enfant le plus intelligent de Pointe-Noire, peut-être du Congo, et pourquoi pas de l'Afrique entière. Elle en rigole, me demande d'être déjà l'enfant le plus intelligent du quartier :

– Mon fils, avant de se lancer dans les grandes batailles, il faut déjà gagner les petites…

Et elle me parle de son village Louboulou qui était dirigé par le grand-père Massengo. Elle est l'avant-dernière enfant de la grand-mère Henriette Nsoko, juste avant Tonton Mompéro le menuisier. Mais le grand-père Massengo a tellement d'enfants et de femmes que c'est presque le village entier qui est notre famille, et il faut faire gaffe sinon il y aura des mariages entre parents et on aura une descendance de malformés. Elle a grandi là-bas, jusqu'à ce qu'elle se mette avec un gendarme dans la ville de Mouyondzi et que ce gendarme fuie le jour où je suis venu au monde. Et je n'ai jamais vu ce gendarme.

Maman Pauline a plié ses bagages pour Pointe-Noire. Tonton René l'a accueillie. Il l'a aidée au départ dans le commerce des arachides au Grand Marché. C'est dans ce marché qu'elle a croisé un homme petit de taille, gentil et déjà marié : Papa Roger...

Elle me dit ce qu'elle m'a souvent rappelé : si elle n'avait pas rencontré Papa Roger, elle et moi nous serions foutus pour de bon. Papa Roger est donc un esprit envoyé par le Ciel : il avait déjà sa femme, ses enfants en grand nombre, il a néanmoins accepté d'être avec Maman Pauline et ce garçon qui n'était pas de lui.

Ma mère n'est plus triste comme avant de ne pas m'avoir donné des frères et des sœurs. C'est la vie, elle dit. Il y en a qui peuvent en avoir plein, il y en a qui ne sont venues sur cette terre que pour en avoir un seul, même avec tous les fétiches du monde elles n'en auront pas un autre.

On marche toujours, elle me parle sans s'arrêter.

Ne pas oublier d'apprendre mes leçons.

Être parmi les cinq premiers de la classe.

– Ah non, maman, je veux être le premier de la classe !

Elle sourit et me répète :

– Mon fils, je viens de te le dire : avant de se lancer dans les grandes batailles, il faut déjà gagner les petites…

Puis elle essuie la poussière qui se dépose sur mes sandales en plastique :

– Ton oncle Albert n'aime pas la saleté, et il voit tout comme s'il portait une loupe…

Elle s'arrête, achète des beignets et de la bouillie béninoise. Ce sera pour mes cousins : Magicien et sa sœur jumelle Bienvenüe, mais aussi leurs grands frères Abeille, Djoudjou et Firmin. Ils vont tous être contents de voir arriver Maman Pauline. Parce que ma mère les gâte. Elle leur laisse toujours un peu d'argent avant de les quitter. Et eux ils disent tous en chœur :

– Merci, Papa Pauline…

« Papa Pauline », parce qu'elle est leur tante, donc la sœur de leur père, donc elle est aussi leur « papa » bien qu'elle soit une femme. Ils ne peuvent pas dire « Maman Pauline » comme moi, parce que ce n'est pas leur mère. « Papa Pauline » c'est mieux, et c'est juste. « Tata Pauline » ou « Tante Pauline » c'est trop éloigné, et ils n'aiment pas ça. Ils disent que Maman Pauline c'est leur papa en femme.

Je parcours le quartier Mpita avec l'image de ma mère dans la tête.

Me voici sur l'avenue Moe-Telli, je la traverse en moins d'une minute car mon cœur est maintenant habitué à la vitesse.

Je ne sens plus ma respiration.

Je suis comme une machine avec des piles neuves.

Je vois défiler les noms des avenues : Moé-Vangoula, puis Barthélemy-Boganda qui devient plus loin Avenue de l'Émeraude qui débouche sur la fameuse avenue Linguissi-Tchicaya.

Je remonte l'avenue et, arrivé au 113, je lève la tête et lis sur une grosse pancarte noire :
MAISON D'ARRÊT DE POINTE-NOIRE

Les cigognes sont immortelles

La Maison d'arrêt de Pointe-Noire est à trois kilomètres du Grand Marché, à côté de la Compagnie Territoriale de la Gendarmerie, dans le quartier Mpita où je n'ai jamais mis les pieds auparavant.

Quand Papa Roger et Tonton René me trouvent devant l'entrée, j'essaye de cacher mes yeux qui ont gonflé à force d'avoir trop pleuré depuis le moment où les militaires ont embarqué Maman Pauline avec des menottes devant tout le marché qui regardait comme si c'était un spectacle.

J'avais réussi à m'enfuir pour arriver jusqu'à la Poste et téléphoner en PCV à Papa Roger qui avait lui-même immédiatement téléphoné à Tonton René en me disant de courir, de ne pas regarder derrière moi, d'aller l'attendre au 113, avenue Linguissi Tchicaya…

Tonton René et Papa Roger entrent dans la Maison d'arrêt et se dirigent tout droit vers un vieux policier qui reçoit les gens derrière un grillage. Il y a beaucoup de monde, mais quand Tonton René passe, les gens s'écartent parce que tout de suite on sent que c'est quelqu'un d'important rien que par sa démarche qui respecte les lignes de son pantalon toujours bien repassé.

Pour parler au vieux policier de l'accueil il faut crier fort, et il vous répond avec un micro, mais c'est pour vous dire d'aller prendre un ticket dans le fond de la salle, de laisser votre carte d'identité et d'attendre qu'on vous appelle. Il ne lève même pas la tête quand il demande à Tonton René de prendre un ticket. Mon oncle frappe trois petits coups sur le grillage, le vieux policier le regarde, ses yeux tombent sur la carte de membre du Parti Congolais du Travail que mon oncle vient de sortir. Le vieux policier se met au garde-à-vous, on dirait que Tonton René est un colonel ou un général de l'Armée Nationale Populaire :

– À vos ordres, camarade membre !

– Vous êtes un Babembe, vous...

Le vieux policier est tout content :

– Comment vous avez su ça, camarade membre ?

– Votre accent, c'est celui de ma région natale, la Bouenza...

Mon oncle lui parle directement en bembe, il ne souhaite pas que les gens qui attendent leur tour soient au courant de ce qu'ils se disent. Moi je comprends même si je ne parle pas bien le bembe à cent pour cent.

Tonton René lui demande de nous conduire dans le bureau de son chef. Là le vieux policier change subitement de comportement :

– Ah non, camarade membre du Parti, le chef ne peut pas vous recevoir aujourd'hui, il y a eu un problème très grave au Grand Marché, et il attend quelqu'un qui...

– Eh bien, ce quelqu'un qu'il attend c'est moi René Mabahou, on s'est eus au téléphone il y a deux heures...

Le vieux policier va parler à son collègue qui est assis au fond là-bas, en train de lire une montagne de papiers, la figure entièrement cachée par la fumée de la cigarette qui est collée dans sa bouche. Les deux policiers se parlent, ils regardent vers nous, ils se reparlent encore, et le collègue vient prendre la place du vieux qui sort de cette cage, nous rejoint et nous dit de le suivre…

On prend un long couloir, le vieux policier devant, suivi de Tonton René, de Papa Roger, et moi je suis le dernier. Quand on marche on entend l'écho de nos pas. Les couloirs ici c'est comme dans un hôpital, les murs sont blancs, et ça sent les médicaments, ou c'est peut-être moi qui me fais des idées.

Au bout du couloir, on tourne à droite, le vieux policier ouvre une porte et la referme après nous. On prend les escaliers, on monte jusqu'au deuxième étage, on suit encore un long couloir, on tourne encore à droite, le vieux policier ouvre encore une porte et la referme après nous. On prend encore les escaliers, on arrive jusqu'au troisième étage, et le vieux policier qui est très essoufflé dit :

– Nous y sommes…

On est devant une porte à quatre serrures. Le vieux policier appuie trois fois sur un bouton rouge. La première serrure fait du bruit, puis la deuxième, puis la troisième, puis la quatrième, et quand la porte s'ouvre, on tombe sur la tête d'un autre policier qui est vieux, mais moins vieux que celui qui s'occupe de nous. Le vieux parle dans l'oreille du moins vieux, le moins vieux regarde de près nos quatre figures, il fait la tête de celui qui est dégoûté, il nous dit d'entrer, et il referme très vite derrière nous pendant que le vieux policier retourne dans sa cage de tout à l'heure.

La salle est trop climatisée, nous allons mourir de froid si on reste longtemps à attendre. Sur le mur à ma gauche il y a un portrait du camarade président Marien Ngouabi en face de moi. C'est le même, mais en plus petit, qui est dans la boutique de Mâ Moubobi. Ici il est dix fois plus grand, et si tu le regardes trop tu risques de te dire que le camarade président Marien Ngouabi n'est pas mort et qu'il fait semblant de disparaître pour qu'on l'aime encore plus jusqu'à la fin du monde.

Tonton René tourne en rond et regarde sa montre.

La porte qui est à côté de lui vient de s'ouvrir et une dame méchante du regard dit :

– Entrez, je vous prie…

Mon père et mon oncle se précipitent dedans, et quand moi j'arrive, la dame fait non de la tête :

– Toi, tu vas attendre ici…

Papa Roger se retourne, très énervé contre la dame :

– On parlera de sa mère là-dedans, pourquoi il va attendre ici ?

– Parce que c'est un mineur et…

– Nadège, laissez le petit entrer, il était présent au moment des faits…

Celui qui vient de parler derrière la dame méchante du regard, c'est un monsieur, petit de taille et chauve.

Et donc j'entre, moi aussi…

Cette pièce c'est presque une grande maison, et c'est dommage de gaspiller beaucoup de place comme ça rien que pour faire un bureau pour un petit homme chauve. Depuis les deux grandes fenêtres de ce bureau on peut voir ce qui se passe dans la cour et dans la rue où chaque voiture est fouillée par des policiers.

On ne peut pas croire, quand on est dans un bureau de ce genre, que dans les bâtiments d'à côté sont emprisonnés les voleurs, les bandits, les délinquants et les criminels les plus dangereux de Pointe-Noire.

Au milieu du bureau, il y a une table ronde en bois, avec quinze chaises que je viens de compter.

Nous nous asseyons, Tonton René est directement en face du petit monsieur chauve, mon père à droite de mon oncle, et moi à sa gauche.

Le monsieur chauve et petit de taille commence en s'adressant à Papa Roger et à moi-même :

– Pour ceux qui ne me connaissent pas, je suis Donatien Mabiala, le directeur adjoint de l'Administration pénitentiaire…

Il serre et arrange sa cravate :

– Le camarade membre du Parti René Mabahou m'a appelé et a voulu me rencontrer au sujet de ce qui apparaît comme une grave tentative de meurtre et qui s'est passé à la fin de la matinée au Grand Marché. Si j'ai exceptionnellement accepté ce rendez-vous c'est parce que le camarade membre du Parti René Mabahou m'a expliqué un peu ce qui se passait concernant sa sœur actuellement retenue dans le bâtiment d'en face…

Il respire longuement et arrange encore sa cravate :

– Je connais le camarade membre René Mabahou puisque nous nous croisons pendant les réunions de la section régionale du Parti Congolais du Travail. Si j'ai toutes les raisons de le croire sur parole, ici il ne s'agit plus de parole, mais d'un acte qui a été froidement calculé et perpétré avec le dessein d'ôter la vie à une personne actuellement hospitalisée à Adolphe-Cissé et grièvement atteinte. Cela risque d'avoir évidemment des conséquences très lourdes, je préfère vous avertir. Mais j'ai aussi promis au camarade membre du Parti René Mabahou, au regard de ce qu'il fait pour notre Révolution socialiste congolaise, que je ferai tout pour l'aider, hélas dans la mesure de mes moyens, et ces moyens sont limités…

Tonton René dit merci de la tête, et le directeur adjoint continue :

– Vous êtes conscients comme moi que cette histoire arrive au mauvais moment et qu'elle a tout l'air d'avoir des implications, je dirais plutôt… politiques ? Madame Pauline Kengué, d'après ses propres dires, serait une sœur directe du capitaine Kimbouala-Nkaya. Mon cher René, malgré tout le respect que votre statut de membre du PCT inspire, vous ne pourrez plus gérer ça si vous ne certifiez pas ce que vous m'avez dit au téléphone auprès de Jean-Pierre Oko-Bankala, le juge d'instruction à qui notre gouvernement provisoire, qui est évidemment déjà au courant de la tragédie et suit de très près l'affaire au regard de son caractère sensible, a demandé de l'instruire rapidement et de vite prendre les sanctions qui s'imposent…

On entend soudain le bruit de la porte qui s'ouvre derrière nous. Papa Roger, Tonton René et moi-même, nous nous retournons : c'est un homme, maigre et très grand de taille qui entre dans le bureau. Il ne salue personne et s'assoit à côté du directeur adjoint qui nous dit :

– Je vous présente le juge d'instruction, Jean-Pierre Oko-Bankala…

Le monsieur croise ses jambes et ouvre un grand cahier bleu. Il tient un Bic rouge dans la main gauche et un Bic noir dans la main droite :

– D'habitude je ne fais pas de petites réunions de ce genre, mais le directeur adjoint Donatien Mabiala est un ami, et il m'a assuré que cette histoire ne serait qu'un grand malentendu, mais je voudrais en être certain, l'entendre dire de la bouche de la famille elle-même avant de décider de l'orientation que je dois prendre…

Quand il parle, sa voix est très grave, on dirait quelqu'un qui fume du matin au soir.

Il croise ses jambes, cette fois-ci dans l'autre sens, et fixe Tonton René dans les yeux :

– Monsieur Mabahou, je peux classer cette affaire d'un simple coup de stylo rouge ici et maintenant, mais je peux aussi envoyer votre sœur derrière les barreaux pendant des années et des années, d'un simple coup de stylo noir ici et maintenant...

Mon oncle lui répond :

– Monsieur le juge, je crois que nous comprenons la tâche très difficile qui est la vôtre en ces temps sombres de notre Histoire, et nous sommes là pour trouver une solution...

– Parfait alors ! Soyez sincères avec moi car tout me laisse croire que ceci risque de ne plus être une affaire de droit commun, ça touche à la Sûreté nationale...

Il joue avec le stylo noir et demande :

– Monsieur René Mabahou, répondez-moi claire-ment en me regardant droit dans les yeux, et avec pour témoins votre âme et votre conscience : est-ce que le capitaine Kimbouala-Nkaya est votre frère, donc éga-lement le frère de Pauline Kengué comme celle-ci l'a affirmé au moment où elle a été appréhendée au Grand Marché et continue à le clamer jusque dans la cellule où elle se trouve ?

Tonton René ne regarde pas le juge Oko-Bankala quand il répond :

– Non, le capitaine Kimbouala-Nkaya n'est pas le frère de ma sœur Pauline Kengué, et il n'est pas non plus mon frère...

Le juge Oko-Bankala joue maintenant avec le Bic rouge :

– Vous ne l'avez donc jamais croisé de votre vie ?

Tonton René ne le regarde toujours pas :

– Non, monsieur le juge, je ne l'ai jamais croisé de ma vie...

– Vous le dites en baissant les yeux, monsieur !

– C'est ma façon de réfléchir…

Le juge Oko-Bankala pose les deux stylos sur la table, et s'adresse maintenant au directeur adjoint Donatien Mabiala :

– On a connu des cas pareils… Ça ne m'étonnerait pas que Madame Pauline Kengué soit atteinte de mythomanie, peut-être même de trouble délirant au point de s'attribuer de manière obsessionnelle un lien de parenté avec quelqu'un qu'elle n'a ni connu ni rencontré…

Papa Roger n'est pas content d'entendre ça :

– Je refuse qu'on traite Pauline de mythomane et de je ne sais pas quoi encore que vous venez de dire, et d'ailleurs je…

– Roger ! le coupe Tonton René.

Moi je me dis : Pourquoi le juge Oko-Bankala ne me demande pas si le capitaine Kimbouala-Nkaya est mon oncle ? Parce que moi Michel, je vais dire la vérité, je vais répéter mille fois ce que j'ai déjà dit de lui ici : que le capitaine Kimbouala-Nkaya est bien mon oncle, que c'est chez lui qu'on avait été tellement bien nourris que j'avais dit à ma mère que je voudrais rester à Brazzaville jusqu'à la fin de ma vie pour continuer à manger des cochons quand mon oncle recevra du monde dans cette belle maison en dur. Oui, s'il me le demande, je répéterai à ce juge Oko-Bankala que, comme mon oncle Kimbouala-Nkaya était trop gentil et ne parlait pas beaucoup, eh bien il me laissait essayer sur ma tête son béret de militaire devant le miroir du salon où je prenais la position des militaires et criais : « Garde à vous !!! » J'ajouterai que ce n'est pas parce que Tonton Kimbouala-Nkaya était trop gentil qu'il fallait abuser de sa gentillesse, et ses enfants et moi-même on savait que c'était interdit de toucher au pistolet qu'il cachait dans un coffre. Ce juge Oko-Bankala saura aussi que c'est toujours chez l'oncle Kimbouala-Nkaya que j'ai vu pour la première fois la télévision, quand Mohamed Ali et George Foreman se battaient à Kinshasa au stade du 20-Mai et qu'on sautait de joie et qu'on hurlait : « Ali, boma yé ! Ali, boma yé ! Ali, boma yé ! » Et si ce juge Oko-Bankala ne croit toujours pas que je suis en train de lui dire la vérité, s'il pense que je suis malade de mythomanie ou je ne sais de quel trouble qu'il vient de citer, eh bien je vais bien lui reparler de la maison de mon oncle, de comment elle était belle même si elle n'était pas encore achevée, de comment tous les gens du quartier du Plateau des Quinze-Ans enviaient ça. Je vais lui décrire qu'avant d'arriver dans la cour qui est à l'intérieur il faut traverser un long couloir, et que de part et d'autre de ce couloir il y a des studios que n'importe quel membre de la famille qui arrivait à Brazzaville pouvait habiter. Une fois qu'on a traversé le couloir et qu'on arrive dans cette cour en forme de cercle, la lumière vient d'en haut car il n'y a pas de toit. Là encore, tout autour de la cour en cercle, Tonton Kimbouala-Nkaya a construit quatre studios, et la pièce dans laquelle il vivait avec sa femme c'est celle d'en face, la plus grande et la plus éclairée de toutes. De dehors on peut se dire que cette pièce est petite, mais dedans il y a une grande salle à manger, une douche comme à l'hôtel Victory Palace, des cabinets comme encore ceux de l'hôtel Victory Palace, et il faut être vigilant parce que, quand on a fini de faire ce qu'on doit faire, on doit tirer sur une chaîne pour que l'eau chasse ce qui sort de notre ventre et que je ne vais pas décrire à ce juge Oko-Bankala sinon lui aussi il va dire que j'exagère toujours et que je suis impoli sans le savoir. Je vais lui dire tout ça, parce que moi, quand je vois comment les choses se sont passées, je...

– Allô ? Tu m'écoutes ou tu rêves, mon petit ?

C'est le juge Oko-Bankala qui me parle ! Oui, il me parle à moi Michel !

– Mon petit, je viens de te poser trois fois la même question, mais ton esprit est ailleurs. Je reprends : est-ce que le capitaine Kimbouala-Nkaya était ton oncle ?

Je regarde la tête de Tonton René, puis je m'arrête sur celle de mon père qui baisse tout à coup les yeux. Papa Roger n'a jamais baissé les yeux devant moi. C'est souvent moi qui le fais.

Le juge joue avec le Bic noir, et je me rappelle que ça veut dire qu'il peut envoyer Maman Pauline en prison pendant des années et des années parce qu'il travaille pour le Comité Militaire du Parti.

Je pense à l'oncle Kimbouala-Nkaya : si je le trahis il va dire que je suis un lâche, et le pauvre capitaine ne va pas avoir le sommeil là-haut à cause de moi.

Je pense en même temps à Maman Pauline, et je me demande : Si elle était moi Michel et si moi j'étais elle Maman Pauline, qu'est-ce qu'elle répondrait au juge Oko-Bankala ? Je suis sûr que si elle était moi Michel, elle se dirait : Michel, voici une occasion de montrer que tu es un homme, donc de choisir d'exprimer ce qui est au fond de toi et que tu trouves juste et bon. N'écoute que cette voix-là qui te parle…

– Mon petit, ce sera la dernière fois que je te repose la question, je n'ai pas que ça à faire : est-ce que le capitaine Kimbouala-Nkaya était le frère de ta mère, donc ton oncle ?

Je laisse s'exprimer la petite voix qui est au fond de moi, et je réponds :

– Le capitaine Kimbouala-Nkaya n'était pas mon oncle, mais il est devenu une cigogne, et les cigognes sont immortelles…

Table

Au jour le jour
poésie
Maison rhodanienne de poésie, 1993

La Légende de l'errance
poésie
L'Harmattan, 1995

L'Usure des lendemains
poésie
prix Jean-Christophe de la Société des poètes français
Nouvelles du Sud, 1995

Les arbres aussi versent des larmes
poésie
L'Harmattan, 1997

Bleu Blanc Rouge
roman
Grand Prix littéraire de l'Afrique noire
Présence africaine, 1998

Quand le coq annoncera l'aube d'un autre jour...
poésie
L'Harmattan, 1999

L'Enterrement de ma mère
récit
Éditions Kaléidoscope (Danemark), 2000

Et Dieu seul sait comment je dors
roman
Présence africaine, 2001

Les Petits-Fils nègres de Vercingétorix
roman
Le Serpent à Plumes, 2002
et « Points », n° P1515

Contre-offensive

(ouvrage collectif de pamphlets)
Pauvert, 2002

Nouvelles Voix d'Afrique

(ouvrage collectif de nouvelles)
Éditions Hoëbeke, 2002

African psycho

roman
Le Serpent à Plumes, 2003
et « Points », n° P1419

Nouvelles d'Afrique

(ouvrage collectif de nouvelles
accompagnées de photographies)
Gallimard, 2003

Tant que les arbres s'enracineront dans la terre

poésie
L'Harmattan /Mémoire d'encrier (Canada), 1995-2004
et « Points », n° P1795
nouvelle édition :

Tant que les arbres s'enracineront dans la terre

suivi de Congo
« Points Poésie », n° P4612, 2017

Verre Cassé

roman
prix Ouest-France/Étonnants Voyageurs 2005
prix des Cinq Continents 2005
prix RFO 2005
Seuil, 2005
et « Points », n° P1418

Vu de la lune

(ouvrage collectif de nouvelles)
Gallimard, 2005

Mémoires de porc-épic

roman
prix Renaudot 2006
Seuil, 2006
et « Points », n° P1742

Lettre à Jimmy
récit
Fayard, 2007
et « Points », n° P2072

Black Bazar
roman
Seuil, 2009
et « Points », n° P2317

L'Europe depuis l'Afrique
(avec Christophe Merlin)
Naïve, 2009

Anthologie
Six poètes d'Afrique francophone
(direction d'ouvrage)
« Points Poésie », n° P2320, 2010

Ma sœur étoile
(illustrations de Judith Gueyfier)
Seuil Jeunesse, 2010

Demain j'aurai vingt ans
roman
prix Georges-Brassens
Gallimard, 2010
et « Folio », n° 5378

Écrivain et oiseau migrateur
André Versaille éditeur, 2011

Le Sanglot de l'homme noir
essai
Fayard, 2012
et « Points », n° P2953

Tais-toi et meurs
roman
La Branche, 2012
et « Pocket », n° 15300

Lumières de Pointe-Noire
récit
Seuil, 2013
et « Points », n° P3203

Petit Piment
roman
Seuil, 2015
et « Points », n° P4465

Lettres noires
Des ténèbres à la lumière
leçon inaugurale
Fayard, 2016
et Pluriel, 2019

Le monde est mon langage
essai
Grasset, 2016
et « Points », n° P4635

RÉALISATION : NORD COMPO À VILLENEUVE-D'ASCQ
IMPRESSION : CPI FRANCE
DÉPÔT LÉGAL : AOÛT 2019. N° 140999 (3034101)
IMPRIMÉ EN FRANCE